Kirk Gastinger
10.86 Udine

Antonio Canova

LE VILLE DEL PALLADIO

IL PALLADIO E L'IDEA DI VILLA

Nota introduttiva di
Renato Cevese

Edizioni Canova Treviso

Le fotografie sono state realizzate dallo Studio Cineleica - Giordani di Padova e dallo Studio Tapparo & Trentin di Vicenza.
Traduzioni di Sheila Moynihan (inglese), Christophe Pettenello (francese), Sigrid Sohn (tedesco)

Le foto delle tavole a colori di cui alle pagg. 135, 153, 169, 187 e 243 sono state concesse dagli Enti Provinciali per il Turismo del Veneto.
Le foto delle tavole a colori di cui alle pagg. 71, 81, 87, 95, 105 e 225 sono di Antonio Canova.
I disegni delle Ville prepalladiane di cui alle pagg. 35, 37, 45 e quelli delle Ville attribuite al Palladio di cui alle pagg. 53 e 59 sono di Amedeo Celso Canova.
Le riproduzioni delle litografie di G. Francesco Costa e di Marco Moro, dei fogli del R.I.B.A. di Londra e dei disegni dal Bertotti Scamozzi, dal Leoni e dal Muttoni sono state fornite dal Centro Internazionale Studi di Architettura "Andrea Palladio" di Vicenza
In varia forma e misura hanno inoltre collaborato: arch. Umberto Barbisan, sig.ra Daniela Davanzo, geom. Elia Fornaciari, sig.ra Rita Fornaciari, geom. Gianfranco Magro, arch. Piero Morseletto, arch. Giancarlo Pellegrini Cipolla, sig.na Maria Vittoria Pellizzari, sig. Augusto Quadrelli e geom. Carlo Trivellato.

ISBN 88-85066-20-8
© Copyright Edizioni Canova Treviso
Stampa: Zoppelli SpA - Dosson (Treviso) - 1985

LE VILLE DEL PALLADIO

Indice / *Inhaltverzeichnis* / Tables des matières / *Contents*

IL PALLADIO E L'IDEA DI VILLA
di Renato Cevese

ANDREAS PALLADIVS VICENTINVS.

Ritratto di Andrea Palladio — Incisione di B. Picart *(da G. Leoni - Londra, 1721)*.

IL PALLADIO E L'IDEA DI VILLA

Ogni episodio del messaggio palladiano, anche nel campo specifico delle ville, reca un'impronta così forte e incisiva da riconoscerne immediatamente la paternità. Le immagini architettoniche nascono da una fantasia che mai s'acquieta sul già pensato e sul già espresso, ma che ha la capacità prodigiosa di rinnovarle, di moltiplicarle, di proporle in termini inattesi, tali, a volte, da contraddire — relativamente agli esterni — quelli precedentemente usati: contraddizione che può essere soltanto una variazione sottile e molto abile del già composto o, nei casi più frequenti, l'esposizione di un pensiero totalmente nuovo.

Questa singolare facoltà di produrre idee quasi sempre diverse — scintille splendenti che si sprigionano dal crogiuolo di un'ispirazione fervorosa — dà ragione della ricchezza del repertorio delle ville palladiane: il più fortunato della produzione del grande Artista, il più fecondo nei secoli che seguirono la sua morte. Laddove, dal Settecento all'inoltrata stagione neoclassica, si rappresentarono situazioni sociali ed economiche affini o identiche a quelle del territorio veneto nel corso del Cinquecento, architetti inglesi, irlandesi, francesi, polacchi, russi, statunitensi e, naturalmente, italiani si rifecero allo schema della villa palladiana, assestato su di una gerarchia di entità architettoniche: il corpo padronale emergente al centro, le barchesse ai lati. Proprio nell'aver riunito in un complesso organico quanto prima era scisso e diversificato anche sul piano compositivo e formale, stà la grande innovazione introdotta dal Maestro vicentino.

Prima di lui il corpo padronale — normalmente di forme dotte desunte dall'architettura cittadina — era perentoriamente di-sgiunto dalle costruzioni di carattere rurale proprie all'edilizia spontanea: varie di aspetto e di dimensioni, quasi sempre raccolte entro una recinzione che era dominata dalla dimora del signore.

Ecco, dunque, la grande idea innovatrice, potremmo dire rivoluzionaria, del Maestro vicentino: idea che ha impressionato e fatto proseliti. Idea forza, dunque: idea guida, polarizzante e stimolatrice, come s'è visto.

Ma polarizzante e stimolatrice fu anche un'altra immagine creata dal Palladio, per nulla legata allo schema del corpo padronale fiancheggiato dalle barchesse: l'immagine della villa più singolare che Andrea e gli architetti del suo tempo abbiano mai concepita: la Rotonda di Vicenza, costruita sull'ultima propaggine dei colli Berici verso il Bacchiglione. La Rotonda apparve come un'invenzione stupefacente, inesorabilmente logica nella sua ferrea coerenza, nella quale l'Autore assommava motivi desunti dalla classicità greca e romana creatrice di forme esemplari. La singolarissima idea architettonica esercitò suggestione profonda e inestinguibile: e fu punto di riferimento a numerosi architetti europei ed extra-europei. In quel creato senza precedenti si ravvisò un momento supremo dello spirito, l'epifania di un genio illuminato dal Divino.

Anche per i fratelli Francesco e Lodovico Trissino, Palladio aveva concepita una villa a sistema accentrato, e quindi coperta da cupola, nel pendio del colle di Meledo. Ma dalla dimora padronale si sarebbero staccati due emicicli a livello più basso di essa; a livello ancora inferiore due lunghe barchesse affrontate, entrambe su pianta a L, avrebbero segnati i limiti di un amplissimo corti-

Vicenza, Bertesina — Villa Gazzotti *(litografia di Marco Moro)*.

le, arginato a mezzogiorno da un basso muro di recinzione. L'autore, nel caso di Meledo, intendeva riproporre i complessi acropolici romani da lui diligentemente studiati.

Le due concezioni — della Rotonda e di villa Trissino — erano assolutamente estranee agli schemi delle ville con barchesse, nei quali Palladio aveva svolto, come s'è visto, un primo tema innovatore. Nell'ambito della dimora di campagna, realizza quindi due idee opposte. L'artista, l'occhio fisso all'antichità venerata, ne operava sintesi pregnanti.

Grandi o piccole, semplici o complesse, "nude" o ammantate di decorazioni, discrete o quasi dimesse, arditamente moderne per certe soluzioni funzionali (1), le ville di Andrea Palladio brillano come gemme purissi-

me nel verde di pianure ubertose, nei pendii di colline apriche, alla sommità di un'altura, ai piedi di monti severi, a specchio di corsi d'acqua.

Caricate dei segni dell'architettura templare del mondo classico, possono assumere la veste di un edificio sacro e civile a un tempo (2); possono assomigliare alla fronte di un tempio con il pronao sporgente (3) o rientrante (4), sormontato da frontone triangolare con ai vertici le statue acroteriali (5), o assumere quasi la connotazione della casa dei Romani e dei Greci e della casa di villa degli antichi, con peristilii a perimetro di cortili succedentisi secondo un asse orizzontale (6).

Ville ad un piano con barchesse normali

ai fianchi (7) o con portici ad esedra (8), con barchesse piegate ad angolo retto (9) o svolgentisi tutt'attorno ad un cortile (10); ville a due piani ai margini di una povera borgata di campagna (11) o di una stupenda cittadina medievale (12), cosí da assumere l'aspetto di palazzo alla periferia d'una città o di villa suburbana. Ville con torri, quasi a proclamare la nobiltà imperiale del committente (13), ville chiuse e austere (14), ville aperte e cordiali (15), ville dalle pareti lucenti ai lati di logge profonde e respiranti dietro a colonne (16), o dietro a tre fornici ritagliati nel vivo della parete (17) o incorniciati di bugnato (18); ville a doppio prospetto (19) di pari importanza, curiose, talvolta, per la disinvolta commistione di elementi tratti dai repertorî classici e medievali (20). Ville straordinariamente diverse l'una dall'altra, ma accomunate da un unico denominatore: l'armonia delle proporzioni. Armonia che regge facciate e fianchi e che, all'interno, dà timbro sicuro agli spazi maggiori e minori, coperti da travature, da lacunari, da volte a botte o a crociera, da calotte, da soffitti a padiglione o a spicchi binati ai vertici.

Ville a pianta diversa, con ambienti minori laterali che sembrano attanagliare il vano centrale, alto così da separare in due parti uguali e perfettamente simmetriche l'intera composizione spaziale: vano centrale che forma l'asse di simmetria orizzontale passante dal "giardino" (21) al "brolo" (22), già annunciato all'esterno dall'asse di simmetria verticale che lega il centro dell'intercolunnio, o del fornice mediano, al vertice superiore del frontone triangolare: motivo, questo, d'ascendenza classica sacra, il quale suggella la fronte della villa.

Vani crociati o rettangolari — quelli mediani — vani rettangolari o quadrati quelli laterali, larghi o stretti, generosamente illuminati da ampie finestre perché gli spazi interni fossero aperti al dialogo con lo spazio esterno, come erano aperte con più immediata fluenza le logge trabeate o curvilinee.

Alle piante diverse dei singoli vani risponde la forma diversa dei soffitti, quando questi non siano a travature o a lacunari: ed è risposta perfettamente accordata. Sicché i vani del settore a destra del cardine centrale e quelli alla sua sinistra, identici di forma e dimensione e distribuiti secondo i principî inderogabili della simmetria, diventano entità spaziali in se stesse concluse come organismi compiuti: dagli scantinati ai piani di rappresentanza, dagli ambienti destinati agli incontri comuni a quelli riservati.

Era nel costume culturale del Cinquecento che soprattutto i vani più importanti — aperti anche agli ospiti — fossero decorati di affreschi. Temi prevalentemente tratti dalla mitologia greca e dalla storia antica, con riferimenti alle vicende, alle vocazioni culturali dei personaggi più notevoli del casato committente, alla coltivazione dei campi, alla vicenda delle stagioni, ecc. Figure allegoriche, grottesche e paesaggi, immagini anche della religione cristiana formano cicli estesi di dipinti parietali che rendono particolarmente caldi e accoglienti gli interni, nei quali l'arredamento originario doveva essere estremamente sobrio. Ma i pittori svolgevano un discorso che non poteva, naturalmente, coincidere con quello dell'architetto. Essi rappresentando scene di battaglia, episodî del mito, divinità olimpiche librate in cieli azzurri o sedute su soffici nubi, scene della vita in villa, sfondavano illusionisticamente pareti e soffitti così da sovvertire le misure magistralmente calcolate e realizzate dal Palladio. In sè stessi gli affreschi hanno in qualche caso un'alta valenza estetica — pensiamo, per esempio, a quelli di Paolo Veronese a Maser, a quelli dello Zelotti a Fanzolo — e valgono a ravvivare gli interni con la gamma di colori spesso gioiosi e smaglianti.

In un territorio, come quello veneto che

nel Cinquecento era punteggiato da piccole borgate, da qualche casolare sperduto e da torri d'avvistamento abbandonate, le ville del Palladio dovevano assumere agli occhi del viandante la forza magica di un'apparizione quasi prodigiosa: architetture isolate nel correre illimitato di praterie, di campi coltivati, interrotti di quando in quando da fasce boschive. Proprio il loro isolamento doveva renderne più affascinante e suggestiva l'aulica presenza. Ma ancor più quelle a mezza costa del monte — come le ville di Maser e di Lonedo — o sopra una piccola collina, come la Rotonda — vertice, pensato dall'uomo, di un'altura creata da Dio — erano offerte alla contemplazione. Stupendamente sposate al paesaggio, sono l'indiscutibile riprova della sensibilità e dell'intelligenza dell'Autore.

Nel tempo presente, nel quale la vita ha assunto ritmo febbrile che concede soltanto di rado momenti di sosta e di meditazione, le ville del Palladio possono dare riposo e gioia allo spirito come tutte le opere di bellezza compiuta.

RENATO CEVESE

Lonigo, Bagnolo — Villa Pisani *(litografia di Marco Moro)*.

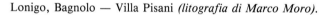

NOTE

(1) Vedi la facciata posteriore di Villa Foscari, detta la Malcontenta alle Gambarare di Mira (Venezia).

(2) Vedi la Rotonda alla periferia di Vicenza.

(3) Vedi la facciata settentrionale della Malcontenta; la facciata settentrionale di villa Cornaro a Piombino Dese (Padova).

(4) Vedi la villa Emo Capodilista a Fanzolo di Vedelago (Treviso); la facciata di villa Badoer a Fratta Polesine (Rovigo); la facciata meridionale di villa Cornaro di Piombino Dese; la facciata orientale di villa Pisani a Montagnana (Padova).

(5) Esse sono sempre previste nei progetti; furono collocate soltanto sui frontoni della Rotonda e di Villa Pojana a Pojana Maggiore (Vicenza).

(6) Vedi il progetto per villa Serego a S. Sofia di Pedemonte in Valpolicella (Verona).

(7) Vedi le ville Barbaro a Maser (Treviso) ed Emo Capodilista a Fanzolo.

(8) Vedi la villa Badoer a Fratta Polesine e i progetti per le ville Trissino a Meledo; Thiene a Cicogna e Mocenigo sopra la Brenta.

(9) Vedi i progetti per le ville Zeno a Cessalto, Saraceno a Finale di Agugliaro, Ragona alle Ghizzole, Pojana a Pojana Maggiore, Angarano ad Angarano.

(10) Vedi il progetto per villa Pisani a Bagnolo di Lonigo.

(11) Vedi villa Cornaro a Piombino Dese.

(12) Vedi villa Pisani a Montagnana.

(13) Vedi villa Pisani a Bagnolo di Lonigo.

(14) Vedi villa Godi, ora Malinverni, a Lonedo di Lugo Vicentino.

(15) Vedi la facciata di villa Gazzotti Curti a Bertesina; la facciata meridionale di villa Cornaro a Piombino Dese; la facciata orientale di villa Pisani a Montagnana.

(16) Vedi, ad esempio, le ville Emo Capodilista di Fanzolo e Badoer a Fratta Polesine.

(17) Vedi villa Saraceno a Finale.

(18) Vedi villa Caldogno a Caldogno (Vicenza).

(19) Vedi villa Pisani di Bagnolo; villa Cornaro di Piombino Dese; villa Pisani di Montagnana; vedi, ancora, i progetti per le ville Badoer di Fratta Polesine, Valmarana di Lisiera; Thiene a Cicogna, Mocenigo sopra la Brenta, ecc.

(20) Vedi il progetto di villa Pisani a Bagnolo (nella realtà le torri, ai lati della triade d'archi nella facciata prospiciente il fiume, risultano molto più basse di quanto non appaiano nella xilografia del Trattato palladiano); vedi anche la villa Thiene a Cicogna.

(21) Strano il silenzio del Palladio riguardo al sito riservato ai giardini, dei quali parla in forma molto generica attribuendo ad essi, però, notevole importanza come "luoghi sollazzevoli", capaci di far "conseguir quella beata vita, che qua giù si può ottenere". E' lecito pensare che lo spazio antistante il corpo padronale fosse, di solito, riservato al giardino: luogo del primo approccio alla parte architettonicamente più importante, che è logico presumere fosse oggetto di particolari cure e quindi allietato da fiori di varie specie. Osservando nei Quattro Libri (A. Palladio, I Quattro Libri dell'Architettura, Venetia, 1570, Libro Secondo, p. 48), ad esempio, la pianta di villa Badoer, vien fatto di pensare che al giardino Palladio intendesse riservare l'area delimitata dai due portici ad esedra e dalle scalee che ascendono al pronao. Ed è pur lecito pensare, osservando la realtà del complesso esistente, che il brolo si estendesse dietro la villa raccolto entro il muro di recinzione. Stranissima, anzi del tutto inverosimile, l'indicazione del giardino "quadro" di villa Emo Capodilista a Fanzolo, che l'Autore dice estendersi dietro ad essa per ben 80 campi trevigiani: dimensione questa corrispondente all'intera proprietà. Di un giardino parla anche a proposito di villa Pojana a Pojana Maggiore, e di giardini a proposito delle ville Serego a S. Sofia di Pedemonte e Mocenigo sopra la Brenta. Quelli di villa Serego li traccia con linee molto sommarie ai lati del settore padronale; quelli di villa Mocenigo li nomina come fossero stati previsti tra le esedre anteriori e quelle posteriori.

(22) Anche dei broli il Palladio parla nell'introduzione ai capitoli relativi alle ville (Libro Secondo, p. 45, riga 26). Ma nelle didascalie che accompagnano le tavole egli non vi fa cenno, se non casualmente (vedi quanto dice a proposito del brolo di villa Barbaro a Maser, che si trova in piano di là dalla strada: Libro Secondo, p. 51), e a proposito di quello di villa Pojana, previsto dietro al corpo padronale (Libro Secondo, p. 58). Che ai broli Palladio annettesse non poca importanza, lo testimonia l'affermazione secondo cui "i Giardini, e i Bruoli" erano "l'anima, e diporto della Villa".

PALLADIO UND DAS KONZEPT VILLA

Jede palladianische Hinterlassenschaft trägt, auch im Fachbereich Villa, einen derart starken und ausgeprägten Stempel, daß des Meisters Handschrift mit einem Blick erkenntlich ist. Architektonische Bilder entstehen aus einer Phantasie, die sich nie mit schon Gedachtem, schon Gesagtem zufriedengibt, hingegen eine erstaunliche Fähigkeit entwickelt, dieselben zu erneuern, zu vervielfältigen, sie unter derart ungewöhnlichen Gesichtspunkten neu zu gestalten, daß sie teils den zuvor verwendeten widersprechen. Ein Widerspruch, der sich lediglich in einer leichten, aber gekonnten Abweichung von schon Bestehendem zu erkennen gibt, oder, was häufiger der Fall ist, einen völlig neuen Gedankengang zum Ausdruck bringt.

Diese einzigartige Fähigkeit, immer neue, andersartige Vorstellungen zum Ausdruck zu bringen — Vorstellungen, die wie strahlende Funken aus dem Schmelztiegel einer glühenden Inspiration sprühen — ist Ursache des reichen Repertoires der palladianischen Villen, der glücklichsten aller Schöpfungen des großen Meisters, der fruchttragendsten in den auf seinen Tod folgenden Jahren.

Dort, wo im 18. Jhd. bis in spätklassizistische Zeit sozialökonomische Zustände herrschten, die im 16. Jhd. ein Gegenstück auf Venetischen Boden hatten, griffen englische, irländische, französische, polnische, russische, nordamerikanische und selbstverständlich auch italienische Baumeister auf die Entwürfe der palladianischen Villa zurück, die auf einer bestimmten Ordung architektonischer Grundelemente, wie dem zentralen Herrenhaus und den seitlich zugeordneten Barchessen basiert. Gerade in der Vereinigung von zuvor getrennten und auf formaler kompositorischer Ebene unterschiedlichen

Elementen zu einem in sich organischen Komplex liegt die von dem Vicentiner Meister eingeführte große Neuerung.

Bis zu diesem Moment befand sich das Herrenhaus — normalerweise in Anlehnung an eine stadtgebundene Architektur — in deutlichem Gegensatz zu den aus einem spontanen Bedürfnis entstandenen Gebäuden mit ländlichem Charakter, wo Aussehen und Maße keiner Ordnung unterlagen, und die fast immer von einer Einfriedigung umgeben waren, in deren Mittelpunkt sich das Herrenhaus befand.

Hier nun die großartige umwälzende, ja revolutionierende Baugesinnung des Vicentiner Meisters. Eine Gesinnung, die Eindruck, die Schule machte. Eine kraftvolle Idee, ein Leitgedanke, polarisierend und beispielgebend, wie es sich zeigen sollte.

Polarisierend und beispielgebend war aber auch eine andere der palladianischen Schöpfungen, weit entfernt von einem von Barchessen flankierten Herrenhaus und einzigartig unter allen von Andrea und seinen Zeitgenosses geschaffenen Villen: "La Rotonda" in Vicenza. Auf den Ausläufern der Colli Berici zum Flüßchen Bacchilione hin gelegen, gab sich "La Rotonda" als eine außerordentliche Erfindung mit ihrer unerbittlichen Logik und der Folgerichtigkeit, mit der der Autor die Anregungen aus der griechischen und römischen Klassik, der Schöpferin beispielhafter Formen, entlehnte und neu verarbeitete. Diese so einzigartige architektonische Schöpfung hinterließ einen tiefen und unlöschbaren Eindruck und galt zahlreichen europäischen und außereuropäischen Baumeistern als Bezugspunkt. In diesem beispiellosen Werk vereinigen sich Momente höchster Geistlichkeit, die Epiphanie eines

Caldogno — Villa Caldogno *(litografia di Marco Moro).*

von göttlichem erleuchteten Genius.

Auch für die Gebrüder Francesco und Lodovico Trissino hatte Palladio auf den Hängen des Colle di Meledo eine Villa mit konzentrischem Grundriß und Kuppeldach geplant. Hier sollten sich jedoch zwei niedrigere halbkreisförmige Anbauten vom Herrenhaus absetzen, an die sich je zwei entsprechend niedrigere gegenüberliegende langgestreckte und L-förmig angeordnete Barchessen als Grenzen für den riesigen Hof anschlossen, der wiederum im Süden mit einer niedrigen Mauer begrenzt werden sollte. Hier bei der Villa in Meledo wollte der Autor die von ihm so eingehend studierten römischen arkopolisartigen Komplexe zu neuem Leben erwecken. Bei beiden Bauwerken, der Rotonda und der Villa Trissino, wurden die üblichen Schemen der Villa mit Barchessen, mit

denen Palladio, wie gesagt, sein Erneuerungswerk begonnen hatte, in keinster Weise berücksichtigt. Im Bereich des Landhauses werden also zwei gegensätzliche Ideen vorgeschlagen. Der Künstler verarbeitete sie, den Blick stets auf die geliebte Antike gerichtet, zu bedeutungsvollen Synthesen. Groß oder klein, einfach oder komplex, nackt oder ausgeschmückt, diskret, ja fast bescheiden oder auch in gewissen zweckdienlichen Lösungen von kühnem und modernem Gepräge (1), strahlen die Villen Andrea Palladios wie reinste Edelsteine im Grün fruchtbarer Ebenen, auf den Hängen sonnenbestrahlter Hügel, auf dem Gipfel einer Anhöhe, zu Füssen steiler Gebirge oder als Spiegelbild aus klaren Wasserläufen.

Mit den Zeichen einer Tempelarchitektur nach klassichem Vorbild behaftet, nehmen sie zum Teil das Aussehen von Sakral- und Zivilbauten in einem an (2) oder sie gleichen der Vorderseite eines Tempels mit der hervortretenden (3) oder auch zurückversetzten (4) Tempelhalle und dem dreieckigen statuengekrönten Giebel (5). Fast geben sie sich teils als römisches Patrizierhaus, als Privatvilla der klassichen Antike mit dem auf eine horizontale Achse bezogenen Säulenhof als Begrenzung (6).

Eingeschossige Villen von ganz normalen Barchessen flankiert (7) oder mit halbkreisförmig angelegtem Laubengang (8), mit im rechten Winkel angeordneten Barchessen (9), oder solchen, die sich um einen Innenhof anordnen (10). Zweigeschossige Villen am Rande eines ärmlichen Dorfes (11) oder auch eines bezaubernden mittelalterlichen Städtchens (12), so, daß sie das Aussehen eines Palastes am Rande einer Stadt oder das einer Vorstadtvilla annehmen.

Villen mit Türmen, fast so, als wollten sie die Adligkeit des Bauherrn verkünden (13), geschlossene strenge Villen (14), offene und freundliche Villen (15), Villen mit strahlenden Wänden seitliche von tiefliegenden Freisitzen, hinter deren Säulen lebendiger Hauch spürbar ist (16). Villen mit einer dreibögigen Öffnung inmitten der kühlen Wand (17) oder von Rustika umkleidet (18); Villen mit doppelter gleichwertiger Schauseite (19), Villen mit zum Teil eigentümlichem Aussehen, hervorgerufen durch eine ungezwungene Vermischung klassischer und mittelalterlicher Elemente (20). Villen, die sich untereinander auf keine Weise gleichen, und die doch von einem gemeinsamen Träger bestimmt werden: der meisterhaften Proportion. Harmonie strahlt aus den Fassaden und aus den Seitenteilen, von sicherer Harmonie sind im Innern die größeren und kleineren Räume, wo sich schönes Balkenwerk, Kassettendecken, Tonnen- und Kreuzgewölbe, Kalotten, Deckenhimmel, Decken, deren

Kappen sich im Scheitel vereinigen, aufs harmonischste in den gegebenen Rahmen fügen.

Villen mit verschiedenartigem Grundriß, mit seitlichen Nebengemächern, die den Mittelsaal wie mit Zangen zu umschließen scheinen, Mittelsäle, die mit ihrer Höhe die gesamte Raumaufteilung in zwei gleiche symmetrische Seiten unterteilen und mit der Gartenanlage (21) und dem "Brolo" (Küchengarten) (22) die symmetrisch angeordnete horizontale Achse bilden, auf die im Äußeren schon die ebenfalls symmetrische Lotachse hindeutet, die ihrerseits auf einer Linie mit dem mittleren Zentralpunkt des Säulenabstands bzw. des Bogens und dem dreieckigen Giebel liegt: Siegel der Schauseite, Templum Dei, nach den Gesetzen der Antike.

Räume mit kreuzförmigem oder rechteckigem Grundriß bei den Mittelsälen, rechteckig oder quadratisch die seitlichen Gemächer, großzügige oder enge Wohnräume, allen gemeinsam ist eine freundliche Helle, die durch schöngeschnittene Fenster die Außenwelt zu einem Dialog mit dem Inneren einlädt, so wie die offenen grandlinigen oder gebogenen Freisitze, wo dies in noch direkterem Stil zum Ausdruck kommt. Den verschiedenen Grundrissen der einzelnen Gemächer stehen die verschiedenartig gestalteten Decken gegenüber, sofern diese nicht schon aus schönem Balkenwerk oder Kassetten sind — ein auf perfekte Weise aufeinander abgestimmtes Gegenspiel. Auf diese Art werden die Räume des rechts der Achse liegenden Teils denen im linken Teil vollkommen formgleich, gleich auch in der Größenordnung und entsprechend dem unwiderruflichen Prinzip der Symmetrie auch spiegelgleich in der Anordnung, fertige Organismen in abgeschlossenen selbständigen Einheiten, und das vom Untergeschoß bis hin zum Piano Nobile, von den Festsälen bis zu den privaten Räumlichkeiten.

Es gehörte zum kulturellen Brauchtum

des Cinquecento, daß vor allem die Gemächer des Hauptgeschosses — sie standen auch den Gästen offen — reich verziert und mit Fresken bemalt wurden. Die Themen zu diesen Fresken stammen vor allem aus der griechischen Mythologie und der Geschichte des Altertums, haben aber auch Taten oder künstlerische Neigungen der berühmtesten Persönlichkeiten aus dem Geschlecht des jeweiligen Bauherrn zum Inhalt, oder auch die Bestellung der Felder, die Jahreszeiten usw. usf.. Allegorische Gestalten, Grotesken, Landschaftsbilder oder Szenen aus dem christlichen Leben werden in ausführlichen Zyklen zu einem einzigartigen Wandschmuck, der die Innenräume ganz besonders anheimelnd und gemütlich macht. Innenräume, deren Originaleinrichtung wohl höchst schlicht und ausgesucht gewesen sein mußte. Die Maler jedoch wollten hier ein Eigenleben zum Ausdruck bringen, das natürlich mit den Absichten des Architekten nicht immer in Einklang zu bringen war. Ihre Werke handeln von Schlachten, von mythischen Szenen, erzählen von aus blauen Himmeln befreiten oder auf weichen Wolken thronenden Göttern des Olymps oder auch vom täglichen Leben in der Villa. Ihre Werke reißen — auch wenn nur illusionistisch — Wände ein, heben Decken auf und stoßen so die von Palladio meisterhaft berechneten und gesetzten Maße um.

An und für sich haben die Fresken in einigen Fällen einen hohen künstlerischen Wert — man denke nur an die von Paolo Veronese in Maser ausgeführten, oder an die eines

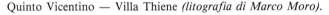

Quinto Vicentino — Villa Thiene *(litografia di Marco Moro).*

15

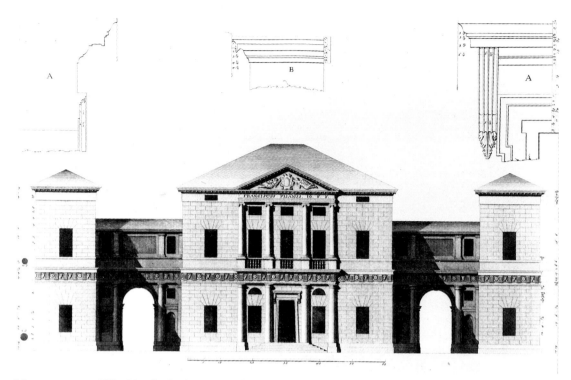

Montagnana — Villa Pisani *(da O. Bertotti Scamozzi - Vicenza, 1778)*.

Zelotti in Fanzolo — und geben den Innenräumen mit ihren oft fröhlichen und leuchtenden Farben die nötige Lebendigkeit.

In einem Gebiet, wie Venetien, das im Cinquecento mit unzähligen kleinen Ortschaften übersät war, wo hier und dort einsame Bauernhöfe und nicht mehr besetzte Wachttürme wie verloren auftauchten, mußten die Villen Andrea Palladios in den Augen eines Wanderers den magischen Zauber einer fast wunderbaren Erscheinung angenommen haben: Architektonische Werke, einsam inmitten unendlicher Weiden und Felder, die nur hier und dort von Waldstreifen unterbrochen wurden. Gerade die einsame Lage der Villen muß das erhabene Aussehen noch faszinierender und eindrucksvoller gemacht haben. Mehr aber noch waren die Villen am Hang — wie die in Maser und Lonedo — oder auf einer Anhöhe — wie La Rotonda — als von Menschenhand gesetzter Gipfel einer von Gott geschaffen Erhöhung, dem bewundernden Blick ausgesetzt. Auf wunderbare Weise eins mit der Landschaft sind sie ein unumstößlicher Beweis für die Sensibilität und das Können ihres Autors.

In heutiger Zeit, in der das tägliche Leben einen derartig hektischen Rhytmus angenommen hat, daß nur noch selten Momente der Ruhe und Beschauung erlaubt sind, geben die Villen Palladios, Werke vollendeter Schönheit, in denen unumschränkt die Harmonie der Verhältnisse herrscht, dem geplagten Geist Erholung und Freude.

RENATO CEVESE

NOTE

(1) s. die hintere Fassade der Villa Foscari, genannt "La Malcontenta" in Gamerara di Mira (Venedig).

(2) s. "La Rotonda" am Rand von Vicenza.

(3) s. die nördliche Schauseite der Malcontenta und die nördliche Schauseite der Villa Cornaro in Piombino Dese (Padua).

(4) s. Villa Emo Capodilista in Fanzolo di Vedelago (Treviso), die Fassade der Villa Badoer in Fratta Polesine (Rovigo), die südliche Schauseite der Villa Cornaro in Piombino Dese und die östliche Schauseite der Villa Pisani in Montagnana (Padua).

(5) ein deratiger Giebelschmuck war in allen Plänen vorgesehen, kam jedoch nur bei den Giebeln der Rotonda und der Villa Pojana in Pojana Maggiore (Vicenza) zur Verwirklichung.

(6) s. den Plan der Villa Sarego in S. Sofia di Pedemonte in Valpolicella (Verona).

(7) s. Villa Barbaro in Maser (Treviso) und Villa Emo Capodilista in Fanzolo.

(8) s. Villa Badoer in Fratta Polesine und die Pläne zur Villa Trissino in Meledo, Villa Thiene in Cicogna und Villa Mocenigo sopra la Brenta.

(9) s. die Pläne zur Villa Zeno in Cessalto, Villa Saraceno in Finale di Agugliarano, Villa Ragona in Ghizzole, Villa Pojana in Pojana Maggiore, Villa Angarano in Angarano.

(10) s. Entwurf der Villa Pisani in Bagnolo di Lonigo.

(11) s. Villa Cornaro in Piombino Dese

(12) s. Villa Pisani in Montagnana.

(13) s. Villa Pisani in Bagnolo di Longio.

(14) s. Villa Godi, jetzt Malinverni in Lonedo di Lugo Vicentino

(15) s. die Schauseite der Villa Gazzotti Curti in Bertesina; die südliche Schauseite der Villa Cornaro in Piombino Dese; die östliche Schauseite der Villa Pisani in Montagnana.

(16) s. z.B. Villa Emo Capodilista in Fanzolo und Villa Badoer in Fratta Polesine.

(17) s. Villa Saraceno in Finale

(18) s. Villa Caldogno in Caldogno (Vicenza).

(19) s. Villa Pisani in Bagnolo, Villa Cornaro in Piombino Dese, Villa Pisani in Montagnana; s. auch die Entwürfe zur Villa Badoer in Fratta Polesine, Villa Valmarana in Lisiera, Villa Thiene in Cicogna, Villa Mocenigo sopra la Brenta etc.

(20) s. den Entwurf zur Villa Pisani in Bagnolo (in Wirklichkeit sind die Türme seitlich der Dreibogengruppe in der auf den Fluß blickenden Schau-seite wesentlich niedriger, als aus dem Holzschnitt des palladianischen Werks hervorgeht); s. auch Villa Thiene in Cicogna.

(21) Seltsam ist das Schweigen Palladios, was die Gartenanlage betrifft, von der er ganz allgemein spricht, ihr jedoch eine beachtliche Rolle als "Ort der Ergötzung" zuspricht, der es ermöglichen sollte, "jenes glückliche Leben zu kosten, das uns hier unten beschieden ist". Man darf wohl annehmen, daß der vor dem Hauptgebäude liegende Platz gewöhnlich als Gartenanlage gedacht war. Von hieraus näherte man sich zuerst dem architektonisch wichtigsten Teil, dem folgerichtig besondere Aufmersamkeit gewidmet wurde und der sich deshalb eines großzügigen Blumenschmucks erfreute. Wenn man z.B. einen Blick in die Quattro Libri (A. Palladio, I Quattro Libri dell'Architettura, Venedig, 1570) wirft, kann man beim Entwurf zur Villa Badoer beobachten, daß die Gartenanlage von Palladio wohl auf das von den beiden halbkreisförmigen Laubengängen und der zur Tempelhalle führenden Freitreppe begrenzte Gebiet beschränkt werden sollte. Und man darf wohl auch sagen, daß angesichts der Tatsache des bestehenden Komplexes der Küchengarten hinter der Villa sich innerhalb der Einfriedigung erstrecken sollte. Seltsam, ja ganz unwahrscheinlich ist die Angabe über den "Quadro"-Garten der Villa Emo Capodilista in Fanzolo, von dem der Autor sagt, daß er sich hinter der Villa über nicht weniger als 80 Trevigianer Felder erstreckt, einem Ausmaß, das dem gesamten Besitz entspricht. Von einem Garten spricht er auch bei Villa Pojana in Pojana Maggiore und von Gärten auch bei den Villen Sarego in S. Sofia di Pedemonte und Mocenigo sopra la Brenta. Die Gärten der Villa Sarego steckt er in großen Zügen seitlich des Mittelteils ab, während die der Villa Mocenigo so zu deuten sind, als ob sie zwischen dem vorderen und dem hinteren Halbrund angelegt hätten werden sollen.

(22) Auch von den Küchengärten spricht Palladio in der Einführung zu den Kapiteln über die entsprechenden Villen (Libro Secondo, S. 45 Z. 26) Aber in der Beschriftung zu den Bildtafeln macht er keine oder nur zufällige Andeutungen (s. seine Aussage über den Küchengarten der Villa Barbaro in Maser, von dem er sagt, daß er eben auf der anderen Seite der Straße liegt, Libro Secondo, S. 51, und den für Villa Pojana vorgesehene sollte hinter dem Hauptteil zu liegen kommen, Libro Secondo, S. 58). Daß Palladio den Küchengärten ein nicht zu geringes Gewicht beilegte, bezeugt die Behauptung, nach der "die Gärten und die Broli die Seele und die Freude einer Villa" sind.

PALLADIO ET L'IDÉE DE VILLA

Chaque expression du message palladien, même dans le domaine spécifique des villas, porte une empreinte si forte et incisive qu'on en reconnaît immédiatement la paternité. Ses conceptions architectoniques naissent d'une fantaisie qui ne repose jamais sur ce qui a été déjà pensé ou réalisé mais qui a la prodigieuse capacité de renouveler, de multiplier, de proposer ces conceptions sous des formes si inattendues qu'elles contredisent parfois — quant à l'extérieur — les formes utilisées précédemment: une contradiction qui peut être seulement une variation subtile et très habile de ce qui a déjà été réalisé ou, dans la plupart des cas, la manifestation d'une idée totalement nouvelle.

Cette capacité particulière de produire des idées presque toujours différentes — brillantes étincelles qui jaillissent du creuset d'une inspiration ardente — explique la richesse du répertoire des villas palladiennes: le plus heureux dans la production du grand Artiste, le plus fécond dans les siècles qui suivirent sa mort.

Là où, du XVIIIᵉ siècle jusqu'à la dernière période néo-classique, se présentaient à nouveau des situations sociales ou économiques analogues ou identiques à celles du territoire de la Vénétie au cours du XVIᵉ, des architectes anglais, irlandais, français, polonais, russes, américains et, naturellement, italiens ont proposé le schéma de la villa palladienne, organisé selon une hiérarchie de volumes architectoniques: la maison du maître qui domine au centre, les ''barchesse'' sur les côtés. C'est justement dans le fait d'avoir réuni dans un ensemble organisé ce qui était précédemment séparé et diversifié soit sur le plan de la composition que de la forme, que consiste la grande innovation introduite par

le Maître de Vicence.

Avant lui la maison du maître — normalement de forme recherchée et inspirée de l'architecture de ville — était tout à fait séparée des constructions de caractère rural, fruits d'une architecture spontanée: différentes d'aspect et de dimensions, presque toujours réunies dans une enceinte dominée par la demeure du seigneur.

Voilà donc la grande idée innovatrice, revolutionnaire presque, du Maître de Vicence: une idéee qui a beaucoup impressioné et qui a fait des prosélytes. Une idéeforce donc, une idéee-guide, polarisante et stimulante.

Mais une autre invention de Palladio fut aussi polarisante et stimulante, nullement liée celle-ci au schéma du corps central flanqué des ''barchesse'': l'invention de la villa la plus singulière que Palladio et les architectes de son époque aient jamais conçue: la ''Rotonda'' de Vicence, érigée sur les derniers contreforts des Colli Berici vers le fleuve Bacchiglione. La ''Rotonda'' apparut comme une invention étonnante, inexorablement logique dans sa cohérence absolue, dans laquelle le maître assemblait les motifs tirés du classicisme grec et romain, créateur de formes exemplaires. Cette extraordinaire idée architectonique produisit une impression profonde et inextinguible et devint le point de repère pour de nombreux architectes européens et extra-européens. Dans cette création sans précédents on crut deviner un moment suprême de l'esprit, la manifestation d'un génie inspiré de la Divinité.

Même pour les frères Francesco et Lodovico Trissino Palladio avait conçu une villa à plan central et couverte d'une coupole, sur la pente de la colline de Meledo. Mais à un niveau plus bas auraient dû se détacher du corps principal deux hémicycles et plus bas encore deux longues "barchesse", se faisant face et formant un L, auraient dû marquer les limites d'une très vaste cour, fermée au sud par une enceinte basse. Le Maître, à Meledo, voulait proposer les ensembles monumentaux romains qu'il avait soigneusement étudiés.

Ces deux conceptions — la Rotonda et Villa Trissino — étaient complètement différentes des schémas des villas avec "barchesse" dans lesquels Palladio avait manifesté sa première idée innovatrice. Dans le domaine de la demeure de campagne il a donc réalisé deux idées opposées: cet artiste, l'oeil toujours tourné vers l'antiquité tant aimée, en faisait des synthèses prégnantes. Grandes ou petites, simples ou complexes, "nues" ou richement décorées, discrètes ou presque pauvres, hardiment modernes quant à certaines solutions fonctionnelles (1), les villas de Andrea Palladio brillent comme des gemmes très pures dans les vertes plaines fertiles, sur les pentes de collines ensoleillées, à l'extrémité d'une hauteur, au pied de sévères montagnes, face à des cours d'eau.

Etroitement liées au style architectonique du Temple de l'art classique elles peuvent être en même temps un édifice religieux et civil (2) ou bien ressembler à la façade d'un temple au pronaos saillant (3) ou rentrant (4) surmonté d'un fronton triangulaire avec les acrotères aux sommets (5) ou encore proposer le style de la maison romaine et grecque et de la villa de l'antiquité avec les péristyles sur les quatre côtés des cours disposés selon un axe horizontal (6).

Piombino Dese — Villa Cornaro *(da O. Bertotti Scamozzi - Vicenza, 1781).*

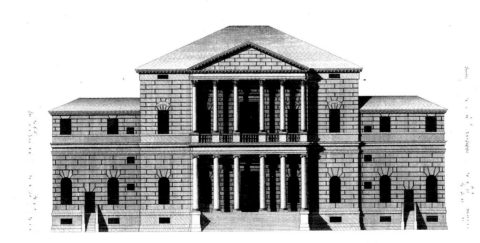

Villas à un seul étage flanquées de "barchesse" normales (7) ou avec des arcades en exèdre (8), ou avec des "barchesse" formant un angle droit (9) ou se développant tout autour d'une cour (10); villas à deux étages situées à la limite d'un modeste village (11) ou d'une splendide ville médiévale (12) de façon à prendre l'aspect d'un palais de banlieue ou d'une villa suburbaine. Villas avec tours comme à exalter la noblesse impériale du client (13), villas fermées et sévères (14) et villas ouvertes et amicales (15); villas aux parois lumineuses aux côtés de loggias profondes et respirant derrière les colonnes (16) ou derrière les trois ouvertures pratiquées à même la paroi (17) ou encadrées de bossage (18); villas à deux façades (19) d'égale importance, parfois étranges à cause de l'assemblage d'éléments pris de l'antiquité classique et du moyen âge (20). Des villas donc tout à fait différentes l'une de l'autre, mais caractérisées par un dénominateur commun: l'harmonie des proportions. Une harmonie qui marque les façades et les côtés latéraux et qui fait ressortir à l'intérieur les grands et les petits espaces, recouverts de poutres, de caissons, de voûtes en berceau ou d'arêtes, de calottes, de plafonds à baldaquin ou à quartiers doublés aux extrémités.

Des villas à plan varié avec les pièces latérales plus petites qui semblent étreindre la pièce centrale assez haute pour séparer en deux parties égales et parfaitement symétriques l'entière composition spatiale: la pièce centrale créant l'axe de symétrie horizontale qui passe du jardin (21) au potager (22) et qui est déjà anticipé à l'extérieur par l'axe de symétrie verticale qui relie le centre de l'entre-colonnement, ou de l'arc, au fronton triangulaire: sceau, de dérivation classique religieuse, de la façade de la villa. Des pièces en forme de croix ou rectangulaires au centre; rectangulaires ou carrées sur les côtés, larges ou étroites, toujours très éclairées par

de grandes fenêtres pour que les espaces de l'intérieur s'ouvrent vers l'extérieur comme étaient ouvertes, mais d'une façon encore plus marquée, les loggias avec entablement ou curvilignes.

Au plan varié des différentes pièces correspond la forme différente des plafonds, quand ils ne sont pas en poutres ou à caissons, et l'accord est parfait. De façon que les pièces à droite et à gauche du pivot central, identiques de forme et de dimension et distribuées selon les principes absolus de la symétrie, deviennent des entités spatiales complètes et autonomes: des caves aux étages nobles, des pièces destinées à la vie sociale aux pièces destinées à la vie privée.

C'était dans la coutume culturelle du XVIe siècle de décorer de fresques les pièces les plus importantes, ouvertes aux hôtes. Les sujets étaient pour la plupart tirés de la mytologie grecque et de l'histoire ancienne avec des allusions aux événements et aux tendances culturelles des personnages les plus remarquables de la famille du client, à la culture des champs, à la suite des saisons etc.; des figures allégoriques, des grotesques, des paysages et même des images de la religion chrétienne forment de vastes cycles de peintures sur les parois qui rendent l'intérieur, où l'ameublement devait être très sobre, particulièrement chaud et accueillant. Mais les peintres suivaient leur inspiration qui ne pouvait pas toujours s'accorder avec celle de l'architecte. Représentant des scènes de bataille, des épisodes du mythe, des divinités de l'Olympe, réchampies dans des ciels bleus ou assises sur des nuages légers, des scènes de la vie dans la villa, ils enfonçaient illusoirement les parois et les plafonds à tel point qu'ils bouleversaient les mesures magistralement calculées et réalisées par Palladio. Les fresques ont en elles-mêmes, dans certains cas, une grande valeur esthétique — pensons, par exemple, à celles de Paolo Veronese à

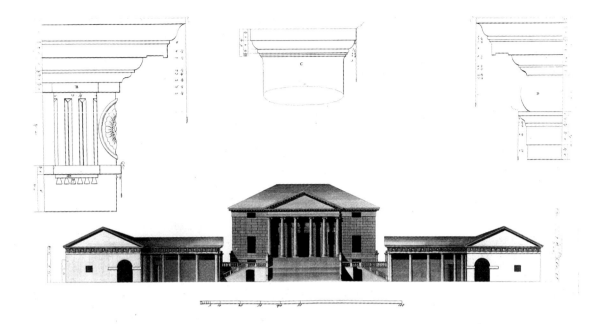

Fratta Polesine — Villa Badoer *(da O. Bertotti Scamozzi - Vicenza, 1781).*

Maser ou à celles de G.B. Zelotti à Fanzolo — et ornent l'intérieur d'une gamme de couleurs souvent joyeuses et éclatantes.

Dans un territoire comme celui de la Vénétie qui au XVe siècle n'était marqué que par de petits villages, de quelques maisons isolées et de tours de guet abandonnées, les villas de Palladio devaient avoir aux yeux du voyageur la force magique d'une apparition prodigieuse: des architectures isolées dans l'étendue illimitée des prairies, des champs cultivés entrecoupés de temps en temps de terrains boisés. Cet isolement même devait rendre encore plus charmante et suggestive leur présence solennelle. Mais celles qui s'élevaient à mi-côte — comme les villas de Maser et de Lonedo — ou sur une petite colline comme la "Rotonda" — couronnement conçu par l'homme d'une hauteur créée par Dieu — étaient offertes à la contemplation. Merveilleusement harmonisées avec le paysage elles sont la preuve indiscutable de la sensibilité et de l'intelligence du Maître.

De nos jours aussi, où la vie a pris un rythme si fiévreux qu'il n'accorde que rarement des moments de répit et de méditation, les villas de Palladio peuvent encore apaiser et réjouir l'esprit étant des oeuvres d'une beauté achevée où l'harmonie des proportions règne souveraine.

RENATO CEVESE

21

NOTES

(1) Voir la façade postérieure de Villa Foscari, dite la "Malcontenta" à Gambarare de Mira (Venise).

(2) Voir "La Rotonda" dans la banlieue de Vicence.

(3) Voir la façade nord de la "Malcontenta"; voir aussi la façade nord de Villa Cornaro à Piombino Dese (Padoue).

(4) Voir la Villa Emo Capodilista à Fanzolo de Vedelago (Trévise); voir la façade de Villa Badoer à Fratta Polesine (Rovigo); voir la façade sud de Villa Cornaro de Piombino Dese et la façade est de Villa Pisani à Montagnana (Padoue).

(5) Elles sont toujours prévues dans les projets mais elles n'ont été placées que sur les frontons de la "Rotonda" et de Villa Pojana à Pojana Maggiore (Vicence).

(6) Voir le projet pour Villa Serego à S.te Sophie de Pedemonte en Valpolicella (Vérone).

(7) Voir la Villa Barbaro à Maser de Trévise et la Villa Emo Capodilista à Fanzolo.

(8) Voir la Villa Badoer à Fratta Polesine et les projets pour la Villa Trissino à Meledo, la Villa Thiene à Cicogna et la Villa Mocenigo sur la Brenta.

(9) Voir les projets pour les villas: Zeno à Cessalto, Saraceno à Finale di Agugliaro, Ragona à Ghizzole, Pojana à Pojana Maggiore, Angarano à Angarano.

(10) Voir le projet pour la Villa Pisani à Bagnolo de Lonigo.

(11) Voir la Villa Cornaro à Piombino Dese.

(12) Voir la Villa Pisani à Montagnana.

(13) Voir la Villa Pisani à Bagnolo de Lonigo.

(14) Voir la Villa Godi, maintenant Malinverni, à Lonedo de Lugo Vicentino.

(15) Voir la façade de la Villa Gazzotti Curti à Bertesina; la façade sud de la Villa Cornaro à Piombino Dese; la façade est de la Villa Pisani à Montagnana.

(16) Voir, par exemple, la Villa Emo Capodilista de Fanzolo et la Villa Badoer de Fratta Polesine.

(17) Voir la Villa Saraceno à Finale.

(18) Voir la Villa Caldogno à Caldogno (Vicence).

(19) Voir la Villa Pisani de Bagnolo; la Villa Cornaro de Piombino Dese; la Villa Pisani de Montagnana; voir aussi les projets pour les villas: Badoer de Fratta Polesine, Valmarana de Lisiera, Thiene de Cicogna, Mocenigo sur la Brenta etc.

(20) Voir le projet de Villa Pisani à Bagnolo (dans la réalité les tours aux côtés de la triade d'arcs de la façade donnant sur le fleuve sont beaucoup plus basses qu'elles ne le sont dans la xylographie de Pallade); voir aussi la Villa Thiene à Cicogna.

(21) Le silence de Pallade à l'égard du site réservé aux jardins est étrange; il en parle d'une façon plutôt générale tout en leur attachant une grande importance comme "lieux de récréation" capables de faire "réjouir de cette vie heureuse que l'on peut obtenir ici bas". Il est naturel de penser que l'espace en face du corps principal était habituellement réservé au jardin: c'était la première approche de l'architecture de la villa et l'on peut bien présumer qu'il était l'objet de soins particuliers et qu'il était égayé de fleurs de différentes espèces. Si l'on observe, par exemple, dans les Quatre Livres (A. Pallade: Les Quatre Livres de l'Architecture, Venise, 1570; Livre Deuxième p. 48) le plan de la Villa Badoer on peut bien argumenter que Pallade comptait réserver au jardin la surface délimitée par la double arcade en exèdre et les grands escaliers qui conduisent au pronaos. Et il est aussi naturel de penser, observant la structure de l'ensemble actuel, que le potager s'étendait derrière la villa à l'intérieur de l'enceinte. Très étrange, même incroyable, l'indication du jardin "tableau" de la Villa Emo Capodilista à Fanzolo, dont le maître dit qu'il s'étendait derrière la villa sur une ampleur de 80 "champs trévisans": une dimension qui correspondait à l'entière propriété. Il parle d'un jardin même à propos de la Villa Pojana à Pojana Maggiore et de jardins pour les Villas Serego à St.e Sophie de Pedemonte et Mocenigo sur la Brenta. Il trace par des lignes très sommaires les jardins de Villa Serego situés aux côtés du corps principal et il indique ceux de Villa Mocenigo comme étant situés entre les arcades en exèdre antérieures et postérieures.

(22) Pallade parle aussi de jardins potagers dans l'introduction aux chapitres relatifs aux villas (Livre Deuxième, p. 45, ligne 26) mais dans les légendes qui acompagnent les tables il n'en parle qu'occasionellement (voir ce qu'il dit à propos du jardin potager de Villa Barbaro à Maser situé sur une étendue plate au-delà de la route: Livre Deuxième, p. 51) et de celui de Villa Pojana prévu derrière le corps principal (Livre Deuxième, p. 58). L'affirmation de Pallade que "les jardins et les potagers étaient l'âme et l'agrément de la Villa" est le témoignage de l'importance qu'il y attachait.

PALLADIO AND THE CONCEPT OF THE VILLA

Every episode of the Palladian message, even in the specific field of the Villas, bears such a strong and incisive mark that its paternity can immediately be recognized. The architectonic images are born from a fantasy which is never appeased by what has been already thought or expressed, and which has the prodigious capacity to renew, multiply and repropose themes in unexpected terms, sometimes, in such a way as to contradict — regarding the exteriors — those previously used: the contradiction may be merely a subtle and very able variation of what already exists or, more frequently, the expression of a totally new idea.

This singular faculty of producing ever new ideas — glittering sparks bursting forth from the crucible of ardent inspiration — explains the richness of the repertoire of Palladian Villas: the most fortunate production of the great Architect, the most fecund in the centuries following his death.

From the 18th century to the advanced neo-classical era, wherever social and economical situations arose, similar to those of the Veneto region during the course of the 16th century, English, Irish, French, Polish, Russian, American, and, naturally, Italian architects followed the plan of the Palladian Villa, arranged according to a hierarchy of architectonic motifs: the main building jutting forward at the centre, the ''Barchesse'' at the sides. The great innovation introduced by Palladio lay in the combining together in one organic complex what before was divided and diversified even on a formal compositive level.

Before him, the main building — usually skilfully designed following the local style — was peremptoriously detached from the buildings of rural character as is typical of spontaneous building: various in size and aspect, almost always gathered together within an enclosure which was dominated by the lord's residence.

This, then, was the great innovative or, we could say, revolutionary idea of Palladio: an idea which impressed and gained followers. It was, therefore, an idea of might; a guiding idea magnetizing and stimulating, as it was later seen to be.

Another image, however, created by Palladio was also magnetizing and stimulating, which had nothing to do with the plan of the main building flanked by the ''Barchesse'': the image of the most unique Villa which Andrea and the architects of his time had ever conceived: the Rotonda of Vicenza built on the last ramification of the Berici hills towards Bacchiglione. The Rotonda appeared as an astonishing invention, inexorably logical in its rigid coherence, in which the architect combined together motifs taken from Greek and Roman classicism. This extremely singular architectonic idea made a deep inextinguishable impression: and it was a point of reference for many European and non-European architects. In that unprecedented creation could be recognized a moment of supreme spirituality, the manifestation of a genius of divine inspiration.

Also for the brothers Francesco and Lodovico Trissino, Palladio had conceived the plan for a Villa of a centralized system, and therefore covered by a dome, on the slope of Meledo hill. But from the main dwelling-house 2 hemi-cycles were to be detached from it on a lower level and below that again two long L shaped ''Barchesse'', facing each other, were to delimit a very large courtyard bounded to the south by a low enclosing wall. In the case of Meledo the architect's intention was to re-propose the concept of the Roman citadel which he had carefully studied.

The two designs — that of the Rotonda and that of Villa Trissino — were absolutely extraneous to the concept of the Villas with Barchessas with which Palladio, as has been seen, introduced an initial innovation. In the sphere of the country residence, he therefore conceived two opposite ideas: the Architect, always keeping before him the antiquity he venerated, created imaginative syntheses. Great or small, simple or complex, "bare" or adorned with decorations, discreet or almost humble, boldly modern for certain functional solutions (1), the Villas of Andrea Palladio sparkle like the purest of jewels in the green fertile plains, on the slopes of the sunny hills, at the foot of austere mountains, mirrored in water-courses.

Laden with signs of the temple architecture of the classical world, they can assume, at the same time, the characteristics of both religious and civil buildings (2), resembling the front of a temple with the pronaos jutting forward (3) or receding (4), surmounted by a triangular pediment with acroterial statues on top (5), or assuming the features of a Roman or Greek house, and of the Villa-houses of antiquity with peristyles surrounding the courtyards following a horizontal axis (6).

Villas of one storey with the usual Bar-

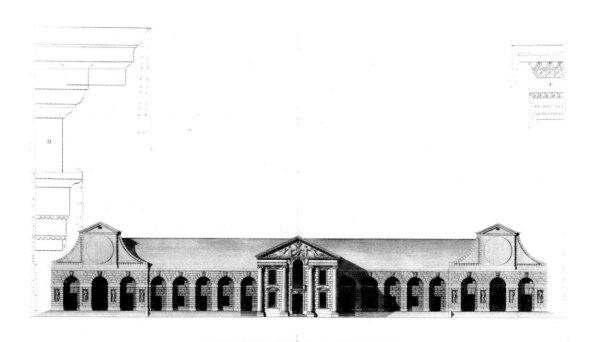

Maser — Villa Barbaro *(da O. Bertotti Scamozzi - Vicenza, 1781)*.

chessas at the sides (7) or with exedral porticos (8), with Barchessas of an L-shape (9), or built all around a courtyard (10): two-storeyed Villas at the outskirts of a poor country village (11) or of a magnificent medieval town (12), so assuming the characteristics of a town palace, or a suburban Villa.

Villas with towers, as if proclaiming the imperial nobility of their owners (13), cold, austere Villas (14), open, friendly Villas (15), Villas of bright walls at the sides of deep pulsating loggias behind columns (16) or behind three arched openings cut into the very heart of the wall (17) or framed in rustication (18); Villas with two façades (19) of equal importance, sometimes curious for the unconstrained mixture of classical and medieval elements (20). Villas which are extraordinarily different from one another but which are grouped together by a common denominator: the proportional harmony. The harmony which characterises façades and sides, and which, in the interiors, gives a distinctive characteristic quality to the large and small spaces, covered with trusses, lacunars, barrel vaulting or cross vaulting, domes, ceilings with cloister vaulting or gores coupled at the top.

Villas of different plans with smaller lateral rooms which seem to grip in princer fashion, the central salon which is so high as to separate the whole in two perfectly equal and symmetrical parts: this central salon forms an axis of horizontal symmetry passing from the "garden" (21) to the "orchard" (22), axis which is discernable from the exterior by that of vertical symmetry which connects the centre of the intercolumniation, or of the central arched opening, to the triangular pediment: thus affixing the seal of sacred classical inspiration to the front of the Villa.

Cruciform or rectangular central rooms,

rectangular or square lateral rooms, wide or narrow, generously illuminated by large windows so as to allow the maximum flow of communication between interior and exterior, as existed with more spontaneous fluency between the trabeate and arched loggias and the exterior. Just as the individual rooms have different plans, so, too, have their ceilings, except when these are trussed or lacunar: and this is a perfectly agreeable solution. Thus, the rooms hinging to the right of the central axis and those to the left, identical in shape and size and distributed according to the intransgressible principles of symmetry, become entities of space complete in themselves: from the basements to the upper floors, from the public to the private rooms.

It was a cultural custom in the 16th century that the rooms, especially the most important ones — accessible to the guests — should be decorated with frescoes. These portrayed themes prevalently taken from Greek mythology and from ancient history, with reference to the vicissitudes, to the cultural inclinations of the most notable characters of the family for whom the Villa was built, to the cultivation of the land, the changing of the seasons etc. etc., allegorical figures, "grotesques" and landscapes. Images of the Christian religion too, form entire cycles of frescoes which rendered the interiors particularly warm and cordial in which the original furnishings must have been particularly sober. But the painters' work could not, of course, coincide with that of the architect. In portraying battle-scenes, mythical episodes, Olympic divinities librated in blue skies or sitting on soft clouds, scenes of Villa-life, they illusionistically broke down walls and ceilings, so upsetting the proportions so skilfully calculated and realized by Palladio. In some cases, the frescoes are, in themselves, of high aesthetic value — if we consider those of Paolo Veronese at Maser, and those of Zelotti at Fanzolo — and they succeed in brightening the interiors with a range of cheerful and often brilliant colours.

In a region such as that of the Veneto of the 16th century dotted with tiny villages, from some remote country house or abandoned watch-tower, the Villas of Palladio must have seemed to the eyes of the wayfarer like the magic force of an almost prodigious apparition. Solitary architectural works of art in the midst of unlimited grassland, of cultivated fields, interrupted now and again by strips of woodland. The stately presence of these buildings was rendered even more fascinating and evocative by their solitariness. But offered even more for contemplation were those built on the mountainside — such as the Villas at Maser and Lonedo — or on a hill-top, like the Rotonda — the summit ideated by man on an elevation created by God. Marvellously blended with the landscape, they are the indisputable proof of the sensibility and intelligence of the Architect.

In present times in which the rhythm of life has become frenetic, granting only rare moments of respite and meditation, Palladio's Villas can give rest and joy to the spirit, as works of perfect beauty in which ever prevails the harmony of proportions.

RENATO CEVESE

NOTES

(1) See the posterior façade of Villa Foscari, called the Malcontenta at Gambarare di Mira (Venice).

(2) See the Rotonda at the outskirts of Vicenza.

(3) See the northern façade of the Malcontenta; see the northern façade of Villa Cornaro at Piombino Dese (Padua).

(4) See Villa Emo Capodilista at Fanzolo di Vedelago (Treviso), see the façade of Villa Badoer at Fratta Polesine (Rovigo); see the southern façade of Villa Cornaro of Piombino Dese; the eastern façade of Villa Pisani at Montagnana (Padua).

(5) These were always included in the plans; they were placed only on the pediments of the Rotonda and of Villa Pojana at Pojana Maggiore (Vicenza).

(6) See the plan for Villa Sarego at S. Sofia di Pedemonte in Valpolicella (Verona).

(7) See Villa Barbaro at Maser (Treviso) and Villa Emo Capodilista at Fanzolo.

(8) See Villa Badoer at Fratta Polesine and the plans for Villa Trissino at Meledo, Villa Thiene at Cicogna and Villa Mocenigo sopra la Brenta.

(9) See plans for Villa Zeno at Cessalto, Villa Saraceno at Finale di Agugliaro, Villa Ragona at Ghizzole, Villa Pojana at Pojana Maggiore, Villa Angarano at Angarano.

(10) See the plan for Villa Pisani, at Bagnolo di Lonigo.

(11) See Villa Cornaro at Piombino Dese

(12) See Villa Pisani at Montaganan.

(13) See Villa Pisani at Bagnolo di Longio.

(14) See Villa Godi, now Malinverni at Lonedo di Lugo Vicentino

(15) See the façade of Villa Gazzotti Curti at Bertesina; the southern façade of Villa Cornaro at Piombino Dese; the eastern façade of Villa Pisani at Montagnana.

(16) See, for example, Villa Emo Capodilista at Fanzolo and Villa Badoer in Fratta Polesine.

(17) See Villa Saraceno at Finale

(18) See Villa Caldogno at Caldogno (Vicenza).

(19) See Villa Pisani of Bagnolo, Villa Cornaro of Piombino Dese, Villa Pisani di Montagnana, See, also, the plans for Villa Badoer of Fratta Polesine, Villa Valmarana of Lisiera, Villa Thiene at Cicogna, Villa Mocenigo sopra la Brenta etc.

(20) See the plan of Villa Pisani at Bagnolo (in reality the towers at the sides of the triad of arches on the façade overlooking the river appear much lower than in the xylography of the Palladian traeatise); see also Villa Thiene at Cicogna.

Mira, Gambarare — Villa Foscari "la Malcontenta" *(Incisione di G.F. Costa).*

(21) It is strange that Palladio does not mention the area reserved for the gardens about which he speaks in a rather generic way, attributing to them, however, remarkable importance as "luoghi sollazzevoli" (delightful places), where we can "conseguir quella beata vita, che qua giù si può ottenre " (attain that blessed life which can be lived on earth). It can be presumed that the space in front of the main building was usually reserved for the garden: it was the place leading to the most important architectonic part of the Villa and therefore it is logical to imagine that it was very well cared for and brightened with flowers of various kinds. Looking, for example, at the plan of Villa Badoer in the Quattro Libri (Four Books) (A. Palladio, I Quattro Libri dell'Architettura, Venetia, 1570, Libro Secondo, p. 48), one is led to think that Palladio intended the garden to be in the area delimited by the two exedral porticoes and by the flights of steps leading up to the pronaos. And it is also right to imagine, observing the existing Villa, that the orchard extended behind the Villa within the enclosure wall. It is very strange, and in fact quite incredible, that Palladio should state that the square garden of Villa Emo Capodilista at Fanzolo extends behind the Villa for 80 "Campi

Trevigiani": this area corresponds to the entire property. He also refers to a garden while speaking about Villa Pojana of Pojana Maggiore, and to gardens when speaking about Villa Serego di S. Sofia di Pedemonte and Villa Mocenigo sopra la Brenta, those of Villa Serego are very briefly sketched at the sides of the main building; those of Villa Mocenigo are mentioned as if they were intended to be between the anterior and posterior exedrae.

(22) Palladio also speaks about the orchards and vegetable gardens in the introduction to the chapters regarding the Villas (Second Book, page 45, line 26). But in the explanations accompanying the plates he doesn't mention them except very casually (referring to the orchard of Villa Barbaro at Maser he says that it lies level on the other side of the road: Second Book, page 51, and regarding that of Villa Pojana, he mentions that it lies behind the main building, Second Book, page 58. The fact that Palladio attributed considerable importance to the orchards and vegetable gardens can be understood from the statement according to which "i Giardini, e i Bruoli erano l'anima e il diporto della Villa" (the Gardens, and the Orchards were the soul and recreation of the Villa).

27

LE VILLE DI ANDREA PALLADIO
di Antonio Canova

INTRODUZIONE

Nel primo Cinquecento, superato l'infausto periodo della cosiddetta Guerra di Cambrai (dalla quale Venezia esce peraltro pressoché indenne), si assiste al manifestarsi ed all'imporsi della nuova architettura veneta per merito di alcuni grandi architetti, le opere dei quali tendono ad interpretare le istanze etiche ed estetiche del nuovo umanesimo e ad elaborare i temi del classicismo rinascimentale con l'adattamento dei medesimi alle necessità indicate da una nuova sensibilità volta a conferire all'ambiente un ruolo sino ad allora ignorato. Viene in tal modo sancito e codificato il legame indissolubile esistente tra la Villa veneta ed il paesaggio.

Non foss'altro in ordine di tempo, è primo tra tali architetti il veronese Giovan Maria Falconetto (1468-1534), che negli ultimissimi anni della sua laboriosa esistenza realizza per Alvise Cornaro, a Luvigliano di Torreglia, la Villa dei Vescovi, dove gli elementi di un'architettura solenne s'inseriscono meravigliosamente nel contesto di un ambiente estremamente gradevole. Questo, con pochi altri frammenti, per quanto concerne l'architettura di Villa; il Falconetto aveva però dato palese manifestazione di sensibilità nuova — mossa dal classico, ma tendente ad esprimersi in armonia con il paesaggio — già nel 1524 quando, sempre per Alvise Cornaro, aveva realizzato a Padova la celebre Loggia ed il vicino Odeo Cornaro acquisendo ampia e meritata fama in ambito veneto e nazionale.

Veronese come il Falconetto e come quello incline ad accogliere e ad elaborare gli spunti del classicismo rinascimentale adattandoli alle esigenze della nuova civiltà di Villa, Michele Sanmicheli (1484-1559) interviene a sua volta ad imprimere un segno ben marcato della sua forte personalità; egli, tuttavia, è pur sempre un architetto prevalentemente militare, e le sue opere, anche se pervase da un chiaro ed in buona misura riuscito intento di aprirsi all'ambiente, conservano spesso un tono solenne e severo, che risulta a volte eccessivo quanto meno in rapporto al tipo di edificio — la Villa, appunto — ed al luogo in cui la medesima s'inserisce.

Lo spunto per la suesposta considerazione sull'arte sanmicheliana è, in verità, assai forzato; più che su complessi di Villa chiaramente configurati e di paternità indiscussa, infatti, esso muove da attribuzioni di vario tipo. Sono attribuzioni a volte certe, ma rappresentate da frammenti (come il portale di Villa Del Bene a Volargne di Dolcé o la Cappella di Villa Della Torre a Fumane); a volte fondate, ma non più verificabili sul piano concreto (come quella di Villa Soranza a Treville di Castelfranco Veneto, con affreschi di Paolo Veronese, distrutta all'inizio del secolo scorso); a volte ragionevoli, ma non provate (come la Villa Guarienti a Punta San Vigilio di Garda, la Villa Pisani ora Municipio di Lonigo ed il Palazzo delle Trombe di Agugliaro); tradizionali, infine, ma poco convincenti (come quella concernente la Villa Della Torre a Fumane, per la quale sembra più verosimile l'intervento di Giulio Romano).

Vero gigante per altri versi, ma in questo campo notevolmente incerto, nello stesso periodo si cimenta nella civiltà di Villa anche Jacopo Sansovino (1486-1570), che costruisce a Pontecasale di Candiana la grandiosa Villa Garzoni ora Carraretto: opera indubbiamente insigne per sobria eleganza ed armonia di elementi, ma che intrattiene con il paesaggio naturale circostante un dialogo alquanto stentato. Splendido, comunque, il suo cortile pensile posteriore con il loggiato assai chiaroscurato e sormontato da balaustra con statue, e degno di interesse il monumentale portale inserito nel muro di cinta dal caratteristico coronamento di tipo veneziano.

Le citate opere del Falconetto, del Sansovino e del Sanmichieli — fedeli e sensibili interpreti delle tante istanze etiche ed estetiche poste dal nuovo umanesimo — imprimono all'architettura veneta ed alla civiltà di Villa una spinta prepotente e decisiva nel segno del classicismo antico, i valori del quale vengono ora da ogni parte evocati, celebrati e posti a simbolo di ogni ideale del vivere civile.

E' in questa situazione, mentre la società è tutta permeata e come esaltata da tali umori culturali, che appare e si manifesta colui che sarà presto destinato ad assumere un ruolo fondamentale, unico nell'architettura veneta di ogni tempo: Andrea di Pietro (1508-1580). Costui — chiamato con erudita e suggestiva definizione "Palladio" da Gian Giorgio Trissino, suo Pigmalione, che ne intuì il genio nel corso dei lavori per la ristrutturazione in chiave classica della sua villa di Cricoli (Vicenza), lavori da lui stesso progettati ed eseguiti nel 1537 — fu non tanto e non solo il fedele credente e lo strenuo propagatore del classicismo, ma del medesimo anche — e soprattutto — il geniale interprete; egli diede infatti forma e vita ad una civiltà nuova, la quale dell'antica civiltà classica è da ritenersi tributaria per quanto concerne i suggerimenti formali e gli spunti iniziali, ma non certo sul piano dei contenuti essenziali.

Proprio in questo stà infatti l'aspetto singolare dell'arte palladiana ed il merito eccelso del sommo Architetto: nell'aver egli rigenerato l'antica monumentalità classica, spesso severa, portandola al sublime attraverso

il semplice e — particolarmente per quanto concerne la Villa — armonizzandola nel contesto di un ambiente naturale. Quest'ultimo, per Palladio, completa sempre l'architettura, e dall'architettura è a sua volta completato.

In virtù di tale nuovo modo di concepire l'architettura, modo che rinunciava alla supremazia totale dell'idea per stabilire sottili intese con il paesaggio, negli anni dal 1540 al 1580 sorsero nell'entroterra veneto grandiosi edifici classici contrassegnati da mirabili proporzioni, da estrema semplicità e — come sempre le autentiche opere d'arte — da viva poesia.

Per quanto numerosi e stupendi, tali edifici rappresentano purtroppo solo una parte di quelli concepiti dal Palladio: molte delle sue opere, infatti, non furono in pratica mai realizzate (solo una barchessa con colombara a Villa Trissino di Meledo di Sarego, solo una barchessa a Villa Thiene di Cicogna di Villafranca Padovana, niente per la Villa Mocenigo "sopra la Brenta" a Dolo, quasi niente a Villa Ragona a Ghizzole di Montegaldella); altre andarono col tempo perdute per umana insipienza o per altre cause (Villa Mocenigo a Marocco di Mogliano Veneto, Villa Repeta a Campiglia dei Berici, Villa Sarego alla Miega di Cologna Veneta); altre ancora — le più numerose — furono realizzate solo parzialmente o in maniera difforme rispetto al progetto originario.

Anche se commisurata al poco ch'è pervenuto sino a quest'epoca, la creatività del Maestro appare davvero impressionante anche adesso; per quell'epoca dev'essere sembrata stupefacente, quasi incredibile, come una benefica esplosione. Ed è indubbio che la terraferma acquisì in quel tempo ed in tal modo, in rapporto ma non in antitesi a Venezia, un proprio ruolo culturale di enorme riguardo, un ruolo che col tempo sarebbe andato non affievolendosi ma accentuandosi sino ad influenzare civiltà lontane e tanto diverse da quella veneta.

Alla luce di queste considerazioni, la sorte toccata a buona parte delle concezioni palladiane appare oggi ancor più drammatica e triste, e viene spontaneo chiedersi come e quanto sarebbero diversi i connotati del Veneto se, ad esempio, sul colle di Meledo di Sarego fosse stato eretto il mastodontico complesso acropolico di Villa Trissino che al Palladio era stato suggerito dal Tempio della Fortuna Primigenia di Palestrina e dal Tempio di Ercole Vincitore di Tivoli, o se nella campagna di Quinto Vicentino fosse stata realizzata per intero la grandiosa dimora dei Thiene — ispirata chiaramente, quest'altra, dalle antiche terme romane — un cui piccolo frammento (l'unico costruito) è ora in grado di soddisfare le esigenze di spazio dell'amministrazione comunale locale; oppure, infine, se sul canale di Brenta esistesse ora il fantastico complesso a quattro logge, porticati, adiacenze e rustici ideato per Leonardo Mocenigo (il medesimo della Villa di Marocco).

Anche se si prescinde, però, da tali faraonici progetti, non minore risulta il rammarico per tante altre opere, concepite pure con grande generosità, ma rimaste mutili. A parte alcuni fortunati casi — doppiamente confortanti, in ogni modo, perché riferibili a concezioni palladiane tra le più ispirate (Villa Badoer a Fratta Polesine, Villa Cornaro a Piombino Dese, Villa Foscari a Gambarare di Mira, Villa Barbaro a Maser, Villa Emo a Fanzolo di Vedelago e Villa Capra a Vicenza) — casi in cui l'opera venne realizzata integralmente e con modeste deviazioni dal pensiero originale del Maestro, tutte le altre Ville palladiane rimasero incomplete nel corpo principale o nelle adiacenze, oppure subirono modifiche più o meno sostanziali rispetto al pensiero originario: risultarono così incomplete o modificate nel corpo principa-

le la Villa Pisani di Bagnolo di Lonigo, la Villa Valmarana a Lisiera di Bolzano Vicentino, la Villa Angarano a Bassano del Grappa, la Villa Pisani di Montagnana, e la Villa Serego a S. Sofia di Pedemonte (la cui sorte, peraltro, è piú propriamente assimilabile a quella della precitata Villa Thiene di Quinto Vicentino); risultarono viceversa incomplete nelle adiacenze e nei rustici la Villa Godi Valmarana di Lonedo di Lugo Vicentino, la Villa Saraceno di Finale di Agugliaro, la Villa Caldogno di Caldogno, la Villa Pojana di Pojana Maggiore, la Villa Zeno al Donegal di Cessalto e qualche altra tra quelle citate più sopra perché già incomplete o modificate nel settore principale.

Nel constatare, con vivo dispiacere, le tante mancate esecuzioni (totali o parziali) di opere palladiane, viene spontaneo chiedersi come ciò sia potuto accadere, quali siano state cioé le cause di tali inadempienze.

E' da ribadire, in proposito, che il Palladio concepiva le sue opere sempre con estrema generosità, mosso esclusivamente dall'ispirazione poetica e totalmente libero da condizionamenti di natura pratica: i suoi progetti erano di conseguenza spesso assai grandiosi, quasi utopistici, comportavano tempi di esecuzione troppo lunghi ed implicavano soprattutto impegni finanziari decisamente eccessivi in rapporto alle effettive disponibilità dei vari committenti. Questi, poi, appartenevano poche volte al ricchissimo patriziato veneziano e facevano più spesso parte della vecchia nobiltà d'entroterra: a volte più prestigiosa sul piano delle origini, questa seconda, e nutrente per questo nel proprio intimo il senso ambizioso di un alto destino, ma indubbiamente dotata di mezzi finanziari inferiori rispetto al primo, che con i lucrosi commerci per mare s'era arricchito in misura in alcuni casi quasi incredibile.

Com'è comprensibile, omissioni e modifiche contribuirono spesso a creare confusione; ciò, non disgiunto dal fatto che le fonti documentarie sono a volte incerte o carenti, determinò sempre disagevoli incertezze, e la paternità di talune opere (Villa Forni e Villa Tornieri — poi distrutta — a Montecchio Precalcino, Villa Da Porto a Vivaro e Villa Grimani Molin a Fratta P., Villa Chiericati a Vancimuglio di Grumolo delle Abbadesse, Villa Valmarana a Vigardolo di Monticello Co.Otto, Villa Muzani alla Pisa di Malo — saltata in aria per scoppio di munizioni il 25.3.1919 — e Villa Piovene a Lonedo di Lugo Vicentino), opere quasi certamente palladiane, rimane conseguentemente tuttora dubbia nonostante la copiosissima messe di studi condotti negli ultimi trent'anni.

Espunte comunque quelle di non sicura paternità, nel regesto palladiano rimangono pur sempre numerose opere e, tra di esse, circa una ventina di Ville. Queste, per una buona parte distribuite in territorio vicentino, presentano forme e caratteristiche assai varie: possono avere (come spesso hanno) la stessa impostazione e gli stessi elementi strutturali, ma l'una e gli altri, nel comporsi in vario modo tra di loro secondo moduli e tagli diversificati, non danno mai il medesimo risultato, presentandosi piuttosto all'occhio attento come concezioni perfettamente autonome, ed emettenti messaggi di volta in volta notevolmente diversi.

Espressa chiaramente siffatta fondamentale precisazione, può anche convenirsi che le Ville Palladiane siano ripartibili, per comodità di studio, in schemi o tipi, e che tali schemi o tipi siano sostanzialmente quattro:
a) la Villa a pianta accentrata, nella quale il Palladio persegue l'idea della Villa-Tempio propria del classicismo romano e così vicina al sentire del nuovo umanesimo rinascimentale: Villa-Tempio come sede ideale per l'esercizio delle più alte discipline dell'epoca quali la letteratura, la filosofia, l'arte e le scienze.

Se si eccettua il caso del Tempietto Barbaro di Maser — del resto assai marginale in rapporto all'idea di Villa ed in ogni caso temporalmente successivo in quanto appartenente al periodo estremo — e se si esclude poi la Villa Trissino di Meledo di Sarego, rimasta purtroppo un sogno, nel pur vasto panorama delle creazioni palladiane esiste una sola opera rispondente in pieno a tali finalità: la VIlla Almerico, poi Capra ed ora Valmarana, detta "la Rotonda", nella quale il concetto di Villa-Tempio è prepotentemente evocato dalla scelta decisa di elementi sacrali quali la cupola ed il pronao, e dove ogni elemento è perentoriamente subordinato ad un perno centrale secondo le indicazioni che altri grandi del tempo (Leonardo, Bramante, Michelangelo) avevano espresso in edifici rinascimentali rimasti famosi.

Villa-Tempio per eccellenza, dunque, la Rotonda; ma Ville-Tempio per atmosfera, oltre che per intendimento dell'autore, anche la Villa Foscari detta "la Malcontenta", alle Gambarare di Mira, e la Villa Badoer, detta "la Badoera", a Fratta Polesine: per certi versi imcomprensibile e quasi ostile, ma assai ricca di suggestione, la prima; ed estremamente armonica nelle forme e poetica nell'insieme, la seconda.

Pur assumendo connotati diversi — che le collocano in una posizione a se stante sì, ma tutt'altro che marginale — altre Ville mostrano una solenne e marcata impronta templare solo nel corpo centrale, la religiosità del quale tuttavia — religiosità intensa anche se di estrazione pagana — presto si stempera e si diluisce ai lati, dove si sviluppano due lunghi porticati simmetrici con le caratteristiche colombare alle estremità.

Due esempi di tale soluzione (esempi di fondamentale importanza anche per altri versi) sono dati dalle trevigiane Villa Barbaro di Maser e Villa Emo di Fanzolo di Vedela-

M. Sanmicheli — Villa Della Torre a Fumane (VR).

go che perseguono in modo mirabile l'integrazione di elementi diversi: quelli classici, volti a soddisfare le esigenze rappresentative del committente, e quelli rustici, intesi a far fronte a necessità di carattere funzionale.

b) Le Ville a tre fornici sulla facciata principale del corpo padronale rappresentano un secondo gruppo di opere palladiane. Esse appartengono prevalentemente al periodo giovanile e furono spesso ingiustamente trascurate (specie nel Settencento e nel successivo periodo neoclassico, epoche nelle quali venne riesumato e rivisse il gusto palladiano) perché ritenute povere sul piano dell'architettura classica.

Il malinteso che un'opera in tanto sia palladiana (o rivesta quanto meno i caratteri della palladianità), in quanto sia dotata del più vistoso simbolo del classicismo, vale a dire del pronao sormontato da frontone triangolare, giovò sempre assai poco alla fama del Maestro ed impedì frequentemente, o ritardò, la piena comprensione delle sue idee e dell'essenza stessa della sua originalità.

Affermare, ad esempio — come talvolta è stato purtroppo affermato — che la Villa Saraceno di Finale di Agugliaro possiede un'architettura di modesto valore, significa semplicemente emettere un giudizio rozzo ed affrettato, degradante sì, ma solo nei confronti di chi lo esprime; proprio a motivo di quella sobrietà, infatti, non esiste forse prospetto più limpido, più armonioso ed insieme più poetico.

Le opere palladiane appartenenti a questo tipo sono numerose e tutte tra di loro diverse per il vario, sapiente uso degli elementi e per il vario trattamento del motivo che le raggruppa, quello cioé dei fornici. Oltre che nella precitata Villa Saraceno, la quale non vide mai realizzate le due grandi ali disposte a gomito che il Palladio aveva previsto ne "I Quattro Libri dell'Architettura"

(Venezia 1570), i tre fornici sono presenti nella Villa Godi di Lonedo di Lugo Vicentino, dove sono inseriti nel corpo centrale che è però rientrante anziché aggettante (soluzione destinata — forse fortunatamente — a rimanere senza seguito); nella Villa Gazzotti di Bertesina di Vicenza, il cui prospetto di marcato andamento orizzontale è scandito da eleganti lesene di ordine composto; nella facciata settentrionale la Villa Zeno al Donegal di Cessalto, dove le arcate ripropongono il taglio leggermente allungato di Bertesina e di Finale anticipando quello dei porticati di Maser.

Il motivo dei tre fornici presenta situazioni decisamente diverse, dovute all'uso del bugnato rustico, nella facciata principale di Villa Caldogno a Caldogno e nel prospetto est di Villa Pisani a Bagnolo di Lonigo: di taglio allungato e preceduto da ampia gradinata a raggiera, nel primo caso; più severo, sormontato da fregio e frontone, e scandito da robuste lesene pure in bugnato, nel secondo.

Sempre a proposito di detta Villa Pisani di Bagnolo, resta da aggiungere ch'essa — rimasta inconclusa nella facciata occidentale e nelle adiacenze — accentua proprio nel motivo dei fornici il suo prevalente interesse esterno; all'interno essa si esprime invece con accenti di eccezionale monumentalità nell'ampio vano crociato che ricrea la suggestione degli antichi ambienti termali romani.

c) Il motivo delle due logge sovrapposte sul prospetto principale, motivo eventualmente ripetuto anche sulla facciata opposta, contrassegna il terzo gruppo di Ville palladiane, tutte presumibilmente concepite dal Maestro nel sesto decennio del secolo XVI.

Già in origine poco numerose, alcune di queste Ville ebbero purtroppo una genesi tormentata ed una esistenza breve. Furono infatti realizzate solo in parte e poi distrutte la Villa progettata per Leonardo Mocenigo a Marocco di Mogliano Veneto e quella progettata per Annibale Sarego alla Miega di Cologna Veneta; e venne sì costruita, ma in modo incompleto e totalmente difforme, la Villa concepita per Giovan Francesco di Val-

sumere più l'aspetto di palazzo che di centro coordinatore di attività agricole, e più ancora dalla Villa costruita per Giorgio Cornaro a Piombino Dese. Pur essa inserita ormai in un contesto urbano, quest'ultima acquista maggior brio e leggerezza rispetto alla precedente per l'uso di ordini e di elementi meno sobri, ma anche per il deciso, sensibi-

J. Sansovino — Villa Garzoni a Pontecasale di Candiana (PD).

marana a Lisiera di Bolzano Vicentino, Villa che venne in più bombardata alla fine della seconda guerra mondiale.

Così dolorosamente colpito e sfoltito, il gruppo in questione è ora rappresentato dalla Villa costruita per Francesco Pisani a Montagnana, Villa che per il suo inserimento nel contesto di un'area suburbana tende ad as-

le aggetto del grande pronao settentrionale.

All'interno i due edifici presentano soluzioni planimetriche sostanzialmente diverse, entrambe tuttavia imperniate su di un grande vano a pianta quadrata, detto in entrambi i casi ''delle quattro colonne''; su queste poggiano, a Montagnana una stupenda volta con delicati effetti chiaroscurali, ed a

Piombino Dese robusti architravi sorreggenti deliziose travi dipinte.

d) Fanno parte dell'ultimo gruppo tutte le altre opere palladiane che non siano riconducibili a qualcuno degli schemi o tipi sinora esaminati, quelle cioé di concezione più fantasiosa e spesso meno gravata da classicismo.

E' certamente da includere nel novero di queste la Villa Pojana di Pojana Maggiore con al centro del prospetto la grande, stupenda serliana sormontata da cornice oculata ed ampio frontone privo di base, ma è pure da includere la Villa Sarego di S. Sofia di Pedemonte con il suo stupefacente e continuo motivo della colonna ionica di ordine gigante il cui fusto è ottenuto con la sovrapposizione di grosse bozze trattate a bugnato rustico; motivo ch'è certo desunto da antichi modelli romani ed anche da alcune più recenti opere di Giulio Romano e di Michele Sanmicheli, ma che qui, liberamente reinterpretato, interviene a creare un mirabile evento chiaroscurale che conferisce all'insieme un tono altamente drammatico e non privo di certa eleganza.

Della Villa Thiene di Quinto Vicentino rimane, come si è detto, solo un frammento e per di più di un corpo secondario, ma si rileva facilmente dal progetto ch'essa avrebbe dovuto presentare soluzioni coraggiose e nuove pur con l'uso dei consueti elementi classici. Analogo discorso pare possa farsi anche per la distrutta Villa Repeta di Campiglia dei Berici, dal lungo loggiato appena marcato da frontoncino al centro, e può anche aggiungersi che coraggiosi e nuovi sarebbero sicuramente stati — se realizzati — anche gli altissimi pronai della Villa progettata per Odoardo e Teodoro Thiene a Cicogna di Villafranca Padovana e di quella concepita per Girolamo Ragona a Ghizzole di Montegaldella.

Pressoché in concomitanza con l'esplodere dell'arte palladiana e quindi dell'architettura, nel sec. XVI si manifesta nel Veneto una stupefacente ripresa anche delle altre arti: della pittura, innanzitutto, che ha ora consolidato le caratteristiche ed il ruolo impressile dai grandi maestri del primo rinascimento, e della scultura, che trova modo di rinnovare gli antichi fasti proprio nel segno del classicismo.

Il sollecito confluire delle tre arti nella Villa — ch'è già di per se un fatto artistico composto a sua volta generatore d'arte e di gusto — è pressoché inevitabile, e tutti gli spazi interni ed esterni si popolano allora di personaggi eroici, divini ed umani, corposi nelle forme ed eloquenti nei gesti, protesi ad esaltare con enfasi i fasti gloriosi, le virtù luminose e le mitiche gesta della nuova società. Lo reclamano, oltrettutto, l'esaltazione di moda del concetto dell'uomo ed il contemporaneo recupero dei valori del classicismo antico, la nuova ventata di paganità e la contemporanea crisi del cristianesimo: così, mentre i simboli della pietà tradizionale vengono messi da parte, le divinità dell'Olimpo ed i personaggi del mondo mitologico tornano a rappresentare gli aspetti prevalenti e positivi del vivere civile e soprattutto — insieme con gli eroi più emblematici della storia romana — le tante e sublimi virtù che l'uomo moderno è in grado di esprimere.

Intorno alla metà del Cinquecento non esiste, si può dire, Villa d'un certo rango che non abbia, in misura più o meno ampia, pareti affrescate: e così pure il castello, che proprio ornandosi di affreschi accelera il processo di trasformazione iniziato nel secolo precedente (basta ricordare, a questo proposito, il castello di Thiene a Thiene, con gli affreschi di Gian Antonio Fasolo, ed il castello di Colloredo a Colloredo di Montalbano, con gli affreschi di Giovanni da Udine).

In qualche caso — segnatamente in alcune tra le più importanti Ville palladiane — vengono eseguiti dei veri cicli pittorici, a volte grandiosi, nei quali si cimentano grandi artisti con folto gruppo di aiuti-allievi. Sono giustamente famosi il ciclo di Villa Godi a Lonedo di Lugo Vicentino, dove Gualtiero dell'Arzere, Gian Battista Zelotti e Battista del Moro affrescarono le pareti di ben undici vani, ed il ciclo di Villa Caldogno a Caldogno di Gian Antonio Fasolo ed altri, ma sono altrettanto celebrati quelli di Villa Emo a Fanzolo di Vedelago, dove Gian Battista Zelotti — certo il più attivo tra i frescanti cinquecenteschi, colui che dalla pittura in Villa fece quasi un genere a se, di notevole qualità — riesce ad esprimere i suoi accenti migliori pur nei limiti dei semplici registri presumibilmente imposti dall'architetto.

Splendidi anche, sempre per restare ancora nell'ambito di edifici palladiani, gli affreschi, pure in gran parte zelottiani, di Villa Foscari a Gambarare di Mira (dove lavorò anche l'estroso Battista Franco); quelli di Villa Pojana a Pojana Maggiore, parte dello Zelotti e parte della fiorente scuola veronese facente capo a Bernardino India e ad Anselmo Canera; quelli a grottesca di Villa Badoer a Fratta Polesine, dovuti a quell'artista — validissimo, ma pressoché sconosciuto — che il Palladio chiama ''Giallo fiorentino dipintor'', e quelli di Villa Almerico, poi Capra ed ora Valmarana ''la Rotonda'', a Vicenza, la cui dovizia di decorazioni, non solo pittoriche e non solo cinquecentesche, merita un discorso a parte.

Nei tanti casi citati il corredo pittorico assume sul piano dei valori artistici una rilevanza notevole, a volte addirittura eccezionale, ma non riesce quasi mai ad acquisire una posizione autonoma nei riguardi dell'architettura che lo ospita e che spesso lo condiziona. Ciò dipende, evidentemente, dalle diverse e contrastanti tendenze dell'architetto

e del pittore: teso a stabilire ed a mantenere stabili proporzioni ed armonia di volumi, il primo, e portato viceversa a rompere ogni parete per ricercare spazi infiniti e sempre nuove illusioni prospettiche, il secondo.

Può anche accadere, in qualche occasione, che sia possibile un equilibrato convivere tra architettura e pittura, e che la decorazione pittorica consenta addirittura il recupero di tono in qualche ambiente dalle misure scarsamente armoniche; nella quasi generalità dei casi, però, le due espressioni risultano tra di loro incompatibili ed il loro connubio in tanto può avvenire, in quanto di esse siano portatrici personalità artistiche di estremo livello.

Il caso più vistoso di un siffatto connubio, nell'ambito delle Ville Venete, è certamente quello rappresentato dalla Villa Barbaro di Maser dove confluiscono le più alte manifestazioni artistiche del Cinquecento Veneto: l'architettura di Andrea Palladio e la pittura di Paolo Veronese, il tutto inserito in un contesto ambientale tra i più delicati.

E' assai verosimile che il Palladio non abbia affatto gradito la presenza a Maser del Veronese (spirito notoriamente indipendente e per niente incline a compromessi), e che abbia anzi cercato d'impedirla; a Villa Barbaro comunque, il problema dell'incompatibilità tra architettura e pittura non si pone, perché anche la seconda è di tale valore che la si accetta prescindendo dal fatto ch'essa armonizzi o contrasti con la prima.

A.C.

EINLEITUNG

Im frühen XVI. Jhd., nachdem die ver-
hängnisvolle Zeit der Liga von Cambrai mit
dem sog. Damenfrieden zuendegebracht worden war — Venedig selbst war dabei u.a. fast
schadlos davongekommen — macht sich
dank einiger großer Baumeister der Durch-
bruch einer neuen venetischen Stilrichtung
bemerkbar. Die Werke dieser Künstler zielen darauf hin, den ethischen und ästhetischen Anforderungen des neuen Humanismus gerecht zu werden und die mit der Renaissance neuerlebten klassischen Vorbilder
so zu verarbeiten, daß sie sich der neugewon-
nenen Sensibilität, d.i. der Umwelt eine bis
dahin unbeachtete Rolle zuzusprechen, an-
passten. Auf diese Weise wurde ein- für al-
lemal die zwischen der Venezianischen Villa
und der Landschaft bestehende Beziehung
festgelegt.

Schon in zeitlicher Reihenfolge ist als erster unter diesen Architekten der Veroneser
Giovan Maria Falconetto (1468-1534) zu nennen, der in den letzten Jahren seines arbeitsreichen Lebens für Alvise Cornaro in Luvig-
nano di Torreglia die Villa dei Vescovi bau-
te, wo Elemente einer feierlichen Architektur sich einmalig in eine ganz besonders lieb-
liche Natur einfügen.

Soviel, zusammen mit einigen anderen
Fragmenten, über die Architektur der Villa.
Falconetto hatte sich jedoch schon zuvor offenkundig zu einer neuen, an der Klassik inspirierten Stilrichtung, die sich nunmehr mit
der Natur in Einklang bringen wollte, be-
kannt. Schon 1524 hatte er ebenfalls im Auftrag von Alvise Cornaro in Padua die be-
rühmte Loggia und das nahegelegene Odeum
Cornaro gebaut und sich sowohl auf veneti-
schem Boden als auch im übrigen Italien
wohlverdienten Ruhm erworben.

Aus Verona wie Falconetto und wie je-
ner geneigt, die Anregungen der von der
Klassik beinflußten Renaissance aufzunehmen, zu verarbeiten und den Anforderungen
einer neuen Villenkultur anzupassen, so Mi-
chiele Sanmicheli (1484-1559), der seinerseits
seinen von einer starken Persönlichkeit ge-
kennzeichneten Beitrag leistet. Er jedoch
bleibt trotz allem in erster Linie der Architekt für Militärkomplexe, und seine Bauwerke behalten trotz eindeutiger und zum Großteil gelungener Absicht, sich in die Natur ein-
zufügen, stets von einem feierlichen und
strengen Stil durchdrungen, der zumindest
für ein Art von Bauwerk — hier die Villa —
und für die Lage, in die sich dieses einordnen soll, zum Teil übertrieben wirkt.

Der Anlaß zur obenstehenden Betrachtung über die Kunst Sanmichelis klingt in der
Tat ein wenig gezwungen; statt von Villen
und Komplexen mit eindeutiger Gestaltung
und unzweifelhafter Urheberschaft auszuge-
hen, wird hier vielmehr von Zuweisungen
verschiedener Art gesprochen. Zuweisungen,
die zum Teil sicher, aber fragmentarisch sind,
(wie z.B. das Portal der Villa del Bene in Volargne di Dolcé oder die Kapelle der Villa
Della Torre in Fumane), zum Teil begrün-
det, aber auf konkreter Ebene nicht mehr
kontrollierbar, (wie z.B. die Villa Soranza in
Treville - Castelfranco Veneto mit Fresken
von Paolo Veronese, die zu Beginn des vo-
rigen Jahrhunderts vollkommen zerstört
wurde), zum Teil berechtigt, aber nicht be-
wiesen, (wie z.B. Villa Guarienti in Punta
San Vigilio di Garda, Villa Pisani, jetzt Rat-
haus von Lonigo und der Palazzo delle
Trombe in Agugliaro) und schließlich vom
Volksmund zugeschrieben, aber nicht über-
zeugend sind, (wie z.B. bei der Villa Della

Torre in Fumane, wo die Hand eines Giulio Romano viel wahrscheinlicher durchblickt).

Einsame Größe auf anderen Gebieten, hier jedoch von beachtlicher Unsicherheit, versucht sich zu dieser Zeit auf dem Gebiet der Villenkultur auch Jacopo Sansovino (1486-1570) und baut in Pontecasale di Candiana die großartige Villa Garzoni, jetzt Carraretto. Zweifelsohne ein außerordentliches Werk, schon dank der schlichten Eleganz und der stilistischen Harmonie, die sich jedoch recht schwerfällig in die natürliche Umgebung einbetten. Sehenswert sind auf jeden Fall der hängende Garten hinten mit dem Laubengang und seinem Licht-Schattenspiel, sowie der darüberliegenden statuengesäumten Brüstung und das interessante monumentale Portal in der Schloßmauer mit seiner typisch venezianischen Bekrönung.

Die hier zitierten Bauwerke von Hand eines Falconetto, eines Sansovino und eines Sanmicheli — treuer und feinfühliger Interpreten der vielen ethischen und ästhetischen Forderungen des neuen Humanismus — geben der venetischen Architektur und der Villenkultur im besonderen einen ungeheuren und unwiderrflichen Aufschwung im Zeichen der Klassik, deren Werte nun überall heraufbeschwört, gefeiert und als Symbol der idealen Lebensweise angesehen werden.

Und zu gerade diesem Zeitpunkt, da die Gesellschaft ganz von jenen Kulturwerten durchdrungen, ja fast trunken ist, erscheint auf der Szene der, der bald darauf eine grundlegende Rolle, einzig in der Geschichte Venetiens, spielen soll: Andrea di Pietro (1508-1580). Er — von dem Dichter Giangiorgio Trissino, seinem Pygmalion, der schon bei dem von ihm selbst im Jahre 1537 geplanten und ausgeführten Umbau seiner Villa di Cricoli (Vicenza) nach klassischen Vorbildern den Genius erkannte, mit dem gelehrten und eindrucksvollen Beinamen "Palladio" versehen — war nicht so sehr und nicht allein der streng gläubige und unermüdliche Wegbereiter der Klassik als viel mehr und vor allem deren genialer Interpret. Er ist es, der in der Tat die Formen einer antiken Kultur zu neuem Leben erweckte, zu dem die klassische Antike zwar als Tribut Formgebung und den Anstoß gegeben hatte, dessen grundlegender Inhalt jedoch auf anderer Ebene lag.

Gerade hierin liegt nun auch die Einzigartigkeit der palladianischen Kunst und der außerordenliche Verdienst dieses vortrefflichen Architekten. Er hat die klassische oft strenge Monumentalität wiederaufleben lassen, sie durch Schlichtheit zu höchsten Höhen erhoben und — besonders was die Villa betrifft — sie in den passenden natürlichen Rahmen eingebettet. Letzterer ist für Palladio stets ein untrennbarer Bestandteil der Architektur selbst, und das Bauwerk seinerseits wird oft fester Bestandteil der natürlichen Umgebung.

Auf Grund dieser neuen Auffassung der Architektur — eine Auffassung, die dem Plan als solchem die Vorherrschaft abspricht, um ein inniges Verhältnis zur Natur herzustellen — entstanden in der Zeit von 1540 bis 1580 auf dem venezianischen Hinterland großartige klassische Gebäude mit bewunderungswürdigen Proportionen von äußerster Schlichtheit und — wie alle echten Kunstwerke — von höchster Poesie.

So zahlreich und herrlich diese Bauwerke auch sind, so stellen sie doch leider nur einen Teil der von Palladio entworfenen Werke dar. Viele seiner Bauten wurden in der Tat nie verwirklicht (nur eine Barchessa mit Taubenschlag der Villa Trissino in Meledo di Sarego, lediglich eine Barchessa der Villa Thiene in Cicogna di Villafranca Padovana, nichts bei der Villa Moncenigo "sopra la Brenta" in Dolo, fast nichts bei der Villa Ragona in Ghizzole di Montegaldella); andere gingen mit der Zeit auf Grund menschlicher Unwissenheit oder aus anderen Gründen verloren (Villa Moncenigo in Marocco di Mogliano Veneto, Villa Repeta in Campiglia dei Berici, Villa Saregos in Miega di Cologna Veneta); noch andere — die meisten — wurden nur teilweise oder nicht den Originalentwürfen entprechend verwirklicht.

Bemessen an dem wenigen, das bis auf den heutigen Tag erhalten ist, scheint uns die Kreativität des Meisters doch auch heute noch wirklich höchst eindrucksvoll. Zu seiner Zeit muß sie verblüffend, ja unglaublich, wie eine wohltuende Explosion erschienen sein. Und es ist nicht zu leugnen, daß das Festland zu dieser Zeit und auf diese Weise im Verhältnis, nicht aber im Gegensatz zu Venedig eine eigene beachtliche kulturelle Rolle zu spielen begann, eine Rolle, die mit der Zeit nicht an Wichtigkeit nachließ, sondern in dem Maß zunahm, daß Kulturen in weiter Ferne und anderer Herkunft von ihr beeinflußt wurden.

Angesichts dieser Betrachtungen erscheint das Los, das einem Großteil der palladianischen Konzeptionen und Ideen zufiel, heute noch dramatischer und trauriger, und man ist geneigt, die Betrachtung anzustellen, wie anders das Landschaftsbild Venetiens ausgesehen hätte, wenn z.B. auf der Anhöhe in Meledo di Sarego der kolossale akropolisartige Komplex der Villa Trissino entstanden wäre, der von Palladio in Anlehnung an den Fortunatempel in Palestrina und den Herkulestempel in Tivoli entworfen worden war, oder wenn auf dem Land in Quinto Vicentino die großartige Wohnstätte der Thiene in ihrer Ganzheit errichtet worden wäre, die ihrerseits von antiken römischen Thermalbädern inspiriert scheint, und von der ein kleiner Teil — der einzige, der tatsächlich realisiert wurde — heute voll den Raumforderungen der dortigen Gemeindeverwaltung Genüge tut; oder, wenn schließlich an den

Ufern der Brenta heute der phantastische Komplex mit seinen vier Freisitzen samt Laubengängen, Anwesen und Wirtschaftsgebäuden stehen würde, der für Leonardo Mocenigo, den Bauherrn der Villa, in Mareno, geplant worden war.

Auch wenn man einmal von diesen pharaonischen Projekten absehen will, so bleibt immer noch das nicht weniger große Bedauern, daß viele andere, ebenso großzügig entworfene Pläne ungenutzt blieben. Außer in einigen glücklichen, und um so trostreicheren Fällen, die unter die palladianischen Werke höchster Inspiration zu reihen sind, (Villa Badoere in Fratta Polesine, Villa Cornaro in Piombino Dese, Villa Foscari in Gambarare di Mira, Villa Barbaro in Maser, Villa Emo in Fanzolo di Vedelago und Villa Capra in Vicenza), und bei denen der Bau keine oder nur unwesentliche Änderungen gegenüber dem Originalentwurf des Meisters aufweist, blieben alle anderen palladianischen Villen entweder im Herrenhaus oder in den Anwesen unvollendet, bzw. wurden mehr oder weniger grundlegend gegenüber dem Originalentwurf abgeändert. Derartige Abwandlungen beim Herrenhaus sind bei der Villa Pisani in Bagnolo di Lonigo, der Villa Valmarana in Lisiera di Bolzano Vicentino, der Villa Angarano in Bassano del Grappa, der Villa Pisani in Montagnana und der Villa Saregos in Santa Sofia di Pedemonte (deren Los im übrigen eher mit dem der obengenannten Villa Thiene in Quinto Vicentino zu vergleichen ist) zu beobachten. Unvollendet in den Anwesen und den Wirtschaftsgebäuden sind dagegen Villa Godi Valmarana in Lonedo di Lugo Vicentino, Villa Saraceno in Finale di Agugliaro, Villa Caldogno in Caldogno, Villa Pojana in Pojana Maggiore, Villa Zeno al Donegal in Cessalto und einige andere der obengenannten schon im Hauptteil unvollendeten oder abgeänderten Villen.

Wenn man mit großem Bedauern feststellen muß, daß so viele der palladianischen Bauwerke nicht oder nur teilweise verwirklicht wurden, kann die Frage, wie dies geschehen konnte, was die Gründe für eine solche Unterlassung gewesen sein mögen, nicht ausbleiben.

Es muß jedoch hierzu gesagt werden, daß Palladio seine Werke stets überaus großzügig plante und entwarf, daß er sich einzig von seiner poetischen Eingebung leiten ließ und von praktischen Bedingungen vollkommen unabhängig arbeitete. Seine Entwürfe waren daher oft fast zu großartig, ja utopisch. Zur Verwirklichung waren zu lange Bauzeiten nötig, und nicht zuletzt entstanden finanzielle Belastungen, denen die jeweiligen Bauherren nicht immer gewachsen waren. Diese waren u.a. nur selten Abkömmlinge reicher venezianischer Patrizierfamilien, sondern gehörten viel mehr zum alten Adel des Hinterlands und waren zum Teil von eindrucksvollerer Abstammung. Sie hegten daher zwar im Innern das ehrgeizige Gefühl zu höheren Ambitionen, waren finanziell jedoch ohne Zweifel weit weniger kräftig als erstere, da diese sich mit einer gewinnbringenden Handelsflotte zum Teil auf unglaubliche Weise bereichert hatten.

Verständlicherweise riefen Unterlassungen und Abänderungen oft erhebliche Verworrenheit hervor. Dies, sowie die Tatsache, daß die Unterlagen und die Quellen oft unsicher oder mangelhaft sind, führt stets zu Ungewißheiten und Schwierigkeiten bei der Zuweisung einiger Bauwerke (Villa Forni und Villa Tornieri — später zerstört — in Montecchio Precalcino, Villa Chiericati in Vancimulio di Grumolo delle Abbadesse, Villa Valmarana in Vigardolo di Monticello Co.Otto, Villa Muzani in Pisa di Malo — am 25.3.1919 bei der Explosion eines Waffenlagers in die Luft geflogen — und Villa Piovene in Lonedo di Lugo Vicentino), die mit ziemlicher Sicherheit von Hand des großen Meisters sind, folglich aber trotz der in den letzten dreißig Jahren fleißig geführten Untersuchungen immer noch zweifelhaften Ursprungs bleiben.

Wenn wir einmal von den Villen mit zweifelhafter Urheberschaft absehen wollen, so bleibt unter dem Nachlaß Palladios doch stets eine große Anzahl von Bauwerken, worunter allein ca. zwanzig Villen sind. Diese, zum Großteil auf Vicentiner Boden, variieren untereinander, was Form und Eigenarten betrifft. Anlage und strukturelle Elemente mögen gleichgeartet sein und haben doch bei einem Aufbau, nach Modeln mit abweichenden Maßen nie das gleiche Resultat, sondern geben auch bei aufmerksamer Betrachtung den Anschein völliger Autonomie mit einer von mal zu mal beachtlich neuen Ausstrahlung.

Nach einer derartigen klar formulierten Feststellung scheint es angebracht, die Palladianische Villa für ein geeigneteres Studium nach Schemen oder Type einzuteilen, und es ergeben sich im Prinzip deren vier Aufteilungen:

a) Die Villa mit zentralisiertem Grundriß, bei der Palladio die Idee des Wohntempels verfolgt, so wie er es aus der römischen Antike gelernt hatte, und was so ganz dem neuen humanistischen Gefühl der Renaissance entsprach. Ein Wohntempel als idealer Sitz der höchsten Künste seiner Zeit, der Literatur, der Philosophie, der Kunst und der Wissenschaft.

Wenn man einmal von dem Pavillon der Villa Barbaro in Maser absieht, der ja auch im Gesamtkomplex Villa nur eine untergeordnete Rolle spielt und zusätzlich zeitlich nicht gleichzusetzen ist, da aus der letzten Periode des Künstlers, und wenn man auch Villa Trissino in Meledo di Sarego, die leider nur ein Traum blieb, nicht hinzurechnen möchte, so bleibt unter der großen Auswahl palladianischer Schöpfungen nur ein Bauwerk, das voll und ganz diesem Prinzip entspricht: Villa Almerico, dann Capra und jetzt Valmarana mit dem Beinamen "La Rotonda", bei der das Konzept eines Wohntempels unweigerlich durch den bestimmten Einsatz von sakralen Elementen, wie Kuppelbau und Tempelhalle heraufbeschworen wird, und wo ein jegliches Element streng um einen Mittelpunkt geordnet ist, so wie es vor ihm schon andere große Meister — Leonardo, Bramante und Michelangelo — beim Bau berühmter Renaissancegotteshäuser gezeigt hatten.

Wohntempel par excellence ist also La Rotonda; aber Wohntempel par atmosphère, ganz mit Absicht des Autors, sind auch die Villa Foscari mit dem Beinamen "La Malcontenta" in Gambarara di Mira und die Villa Badoer mit dem Beinamen "La Badoera" in Fratta Polesine. So undurchsichtig und fast feindselig trotzdem aber höchst eindrucksvoll sich erstere gibt, so außerordentlich harmonisch in der Formgebung und so poetisch in der Ausstrahlung zeigt sich letztere.

Trotz andersartiger Merkmale — die sie zwar in eine Sonder- keinesfalls aber Randstellung rücken — zeigen andere Villen ein feierliches und markantes Tempelgepräge nur im Hauptteil, dessen Religiösität — Religiösität, wenn auch von heidnischer Abstammung — bald schwindet und sich in den Seitenflügeln auflöst, wo zwei langgestreckte Laubengänge mit den charakteristischen Taubenschlägen abschließend sich symmetrisch zuordnen.

Zwei glänzende Beispiele für eine solche Lösung (Beispiele von grundlegender Wichtigkeit auch unter anderer Hinsicht) können wir bei der Trevisaner Villa Barbaro in Maser und bei der Villa Emo in Fanzolo di Vedelago bewundern, wo auf einmalige Weise

unterschiedliche Elemente zu einem einheitlichen Bild zusammenwachsen. Klassische Elemente befriedigen die repräsentativen Ansprüche des Bauherrn und rustikale Elemente entsprechen den praktischen Notwendigkeiten.

b) Die Villen mit drei Bögen auf der Fassade des Herrenhauses bilden eine zweite Gruppe palladianischer Bauwerke. Diese gehören hauptsächlich der frühen Periode des Künstlers an und wurden oft ungerechterweise vernachlässigt (vor allem im 18. Jhd. und im darauffolgenden Klassizismus, Epochen, in denen der palladianische Stil wiederentdeckt und zu neuem Leben erweckt wurde), da sie auf der Ebene einer an der Klassik inspirierten Architektur als zu dürftig galten.

Das Mißverständnis, daß ein Bauwerk nur insoweit palladianisch sei (oder zumindest die Charaktereigenschaften einer solchen Vaterschaft für sich in Anspruch nehmen könne), als es mit den auffälligsten klassischen Symbolen behaftet ist, d.h. einer mit dreieckigem Giebel gekrönten Vorhalle, diente nur selten dem Ruhm des Meisters und verhinderte oft oder verzögerte das volle Verständis für seine Einfälle und das eigentliche Wesen seiner Originalität. Zu behaupten z.B. — wie leider wiederholt erklärt wurde — die Villa Saraceno in Finale di Agugliaro verfüge über eine Architektur von bescheidenem Wert, heißt nichts weiter, als ein einfältiges und unüberlegtes Urteil abgeben, wohl abwertend, aber nur für den, der es ausspricht. Gerade auf Grund dieser Schlichtheit gibt es in der Tat wohl kaum eine zweite Fassade mit einer solchen Klarheit, Harmonie und poetischen Ausstrahlung.

Die palladianischen Werke dieser Art sind zahlreich und untereinander auf Grund des vielartigen und gekonnten Gebrauchs der einzelnen Elemente sowie der unterschiedlichen Verwendung ein und desselben Motivs, das sie vereint, den drei Bögen, doch so verschieden. Außer bei der obengenannten Villa Saraceno, bei der die beiden rechtwinklig zugeordneten Seitenflügel, wie sie Palladio in ''I Quattro Libri dell'Architettura'' (Venedig 1570) vorgesehen hatte, nie verwirklicht wurden, haben wir das Dreibogenmotiv auch bei der Villa Godi in Lonedo di Lugo Vicentino, wo sie in den hier jedoch nicht hervor-

wo die Bogengänge den leicht langgezogenen Schnitt von Bertesina und Finale wiederholen und die Laubengänge der Villa Maser vorwegnehmen.

Das Motiv der drei Bögen gibt sich ganz entschieden immer wieder anders. Einmal mit Bossenwerk bei der Hauptfassade der Villa Caldogno in Caldogno und in der östlichen Stirnseite der Villa Pisano in Bagno-

G.M. Falconetto — Villa dei Vescovi a Luvigliano di Torreglia (PD).

tretenden sondern zurückversetzten Mittelteil eingefügt sind (eine Lösung, die — vielleicht glücklicherweise — danach nicht mehr Verwendung fand); bei der Villa Gazzotti in Bertesina di Vicenza, bei der die streng horizontal angelegte Fassade noch durch elegante Lisenen kompositer Ordnung betont wird; bei der nach Norden blickende Schauseite der Villa Zeno in Donegal di Cessalto,

lo di Lonigo, mit langgezogenem Schnitt und davorliegender großzügiger strahlenförmiger Freitreppe bei ersterer, strenger mit einem Fries und Giebel gekrönt, sowie von kräftigen Lisenen aus Bossenwerk betont, bei letzterer.

Um noch einmal auf die Villa Pisani zurückzukommen, so bleibt zu sagen, daß sie — die nach Westen blickende Schauseite und die Anwesen sind unvollendet gelieben — gerade mit dem Bogenmotiv ihr äußerliches Ansehen noch unterstreicht. Im Innern dagegen drückt sie sich mit Ansätzen zu einer außerordentlichen Monumentalität aus, besonders im großzügigen Kreuzsaal, der den Eindruck antiker Thermalbäder erweckt.

c) Das Motiv der beiden übereinanderliegenden Freisitze auf der Hauptfassade, ein Motiv, das teils auch auf der entgegengesetzten Fassade wiederholt wurde, kennzeichnet die dritte Gruppe palladianischer Villen, die der Annahme nach alle im sechsten Jahrzehnt des XVI. Jhds. von unserem Meister geschaffen wurden.

An sich schon nicht sehr zahlreich, hatten einige dieser Villen eine nicht einfache Entstehungsgeschichte und zudem ein kurzes Leben. Sowohl die für Leonardo Moncenigo in Marocco di Mogliano Veneto geplante, als auch die für Annibale Sarego in Miega di Cologna Veneta entworfene Villa wurden in der Tat nur zum Teil verwirklicht und anschließend zerstört. Die für Giovan Francesco Valmarana in Lisiera di Bolzano Vicentino geplante Villa dagegen wurde zwar gebaut, aber nur unvollständig und vollkommen deformiert. Als sollte das nicht genügen, wurde sie am Ende des zweiten Weltkriegs bombardiert.

Dieser so schmerzhaft getroffene und gelichtete Baustil wird heute durch die für Francesco Pisani in Montagna gebaute Villa vertreten. Eine Villa, die auf Grund ihrer Eingliederung in das Stadtgefüge mehr dazu neigt, das Aussehen eines Stadtpalastes als das eines landwirtschaftlichen Koordinationszentrums anzunehmen, und das in noch stärkerem Maß, als die für Giorgio Coronaro in Piombino Dese gebaute Villa. Auch diese liegt heute inmitten des Stadtgefüges, bekommt jedoch auf Grund der Säulenordnung und bescheidenerer Elemente, sowie auf Grund des bestimmten, aber feingliedrigen Vorbaus, der großen nördlichen Vorhalle, größeren Schwung und mehr Leichtigkeit.

Was das Innere betrifft, so haben die beiden Bauwerke zwar einen grundsätzlich unterschiedlichen Lageplan, der sich jedoch hier wie dort konzentrisch um einen großen Mittelsaal mit quadratischem Grundriß schart, der hier wie dort das "Viersäulen Atrium" genannt wird. Auf diesen vier Säulen ruht in Montagna ein herrliches Gewölbe mit einem höchst delikaten Spiel der Licht- und Schattenmassen, und in Piombino Dese tragen robuste Säulenbalken ein schön bemaltes Balkenwerk.

d) Zur letzten Gruppe gehören all die palladianischen Bauwerke, die sich nicht in eines der bisher betrachteten Schemen, bzw. eine der genannten Typologien einordnen lassen, d.h. die Schöpfungen mit einem phantastischeren, oft weniger von der Klassik beeinflußten Aspekt.

Zu diesen zählt mit Sicherheit Villa Pojana in Pojana Maggiore, bei der im Zentrum der Schauseite die große herrliche Serliana samt darüberliegendem mit Augen versehenem Bogengesims und der großartige basislose Giebel zu bewundern sind, aber ebenso Villa Saregos in Santa Sofia di Pedomente mit dem erstaunlichen durchgehenden Motiv der ionischen Säule gigantischer Ordnung, deren Schaft aus übereinandergesetzten schweren Rustikaquadern besteht. Ein Motiv, das sicherlich in Anlehnung an antike römische Vorbilder zusammen mit Vorbildern aus neuerer Zeit, bei Werken eines Giulio Romano und eines Michele Sanmicheli, entstanden ist, hier aber frei interpretiert, zu einem bewunderungswürdigen Spiel der Licht- und Schattenmassen führt, das dem Ganzen einen hochdramatischen, in gewissem Sinne jedoch eleganten Ton verleiht.

Von der Villa Thiene in Quinto Vicenti-

no ist, wie gesagt, nur noch ein fragmenta-
rischer Teil, zudem von einem Nebengebäu-
de, übrig. Aus dem Entwurf geht jedoch hervor, daß es sich hier um ein Werk mit gewagten und trotz Verwendung der üblichen klassischen Elemente neuen Lösungen hätte handeln sollen. Ähnliches kann wohl auch von
der zerstörten Villa Repeta in Campiglia dei
Berici mit ihrem langgestreckten und eben
durch den kleinen Giebel im Zentrum beton-
ten Laubengang gesagt werden, und gewagt
sowie neuartig wären sicherlich auch die nicht
verwirklichten hohen Vorhallen der für Os-
valdo und Teodoro Thiene in Cicogna di Villafranca Padovana geplanten und der für Girolamo Ragona in Ghizzole di Montegaldella
entworfenen Villen geworden.

Fast gleichzeitig mit der Blüte palladianischer Kunst, d.i. der Architektur, erleben
wir im XVI. Jhd. in Venetien einen überra-
schenden Wiederaufstieg auch der anderen
Künste. Der Malerei, allem zuvor, die nunmehr ihre Merkmale und die ihr von den großen Meistern der Frührenaissance auferleg-
te Rolle gefestigt hat, und der Bildhauerei,
bei der gerade im Zeichen der Klassik antike Herrlichkeiten zu neuem Leben erweckt
werden.

Der prompte Zusammenfluß aller drei
Künste beim Villenbau — der an sich schon
ein heterogenes künstlerisches Werk, aus
Kunst und Geschmack entstanden, bedeutet,
ist fast unvermeidbar, und alle gegeben Räume und Flächen, Innen oder auch Außen, be-
völkern sich nun mit Persönlichkeiten aus
Heldensagen, teils göttlicher, teils menschlicher Natur, mit kräftigen Formen und spre-
chender Gestik, die mit Nachdruck glorrei-
che Zeiten zu neuem Leben erwecken, die
strahlenden Tugenden und die sagenhaften
Taten der neuen Gesellschaft unterstreichen
sollen. Gefordert wird das darüberhinaus von
einer momentanen Verherrlichung des

menschlichen Daseins zusammen mit den
wiederentdeckten Werten der klassischen Antike, der neuen Welle heidnischen Denkens
und der gleichzeitigen Krise des Christen-
tums. Während die Symbole einer traditio-
nellen Frömmigkeit beiseite geschoben werden, verköpern jetzt die wiederentdeckten
Götter des Olymps und die Helden einer mythologischen Welt die vorrangigen und po-
sitiven Aspekte des bürgerlichen Lebens und
vor allem — zusammen mit den emblema-
tischsten Heldenfiguren der römischen Geschichte — die vielen und vortrefflichen Tugenden, die der moderne Mensch auszu-
drücken vermag.

Um die Mitte des Cinquecento gibt es, so
kann man sagen, keine Villa von gewissem
Niveau ohne mehr oder weniger intensiv mit
Fresken ausgeschmückte Wände. Und auch
das Schloß gerät dabei nicht in Verzug, sondern schmückt sich mit Fresken, die den im
vorhergehenden Jahrhundert begonnenen
Umwandlungsprozeß nur noch beschleuni-
gen. (Um nur einige Beispiele zu nennen, sei
hier auf Schloß Thiene in Thiene mit seinen
Fresken von Gian Antonio Fasolo und
Schloß Collorebo di Montabano mit seinen
Fresken von Hand eines Giovanni da Udine
verwiesen).

In einigen Fällen — vornehmlich in einigen der wichtigsten palladianischen Villen —
werden ganze teils großartige Freskenzyklen
verarbeitet, bei denen sich große Künstler mit
einer starken Gehilfen- und Schülerschar
bewährten.

Zurecht berühmt sind hierunter die Freskenfolge in der Villa Godi in Lonedo di Lugo Vicentino, wo Gualtiero dell'Arzere, Gian
Battista Zelotti und Battista del Moro gar elf
der Gemächer mit Fresken bemalten, und die
Folge in der Villa Caldogno in Caldogno von
Hand eines Gian Antonio Fasolo und anderen. Nicht weniger gefeiert sind die Fresken
der Villa Emo in Fanzolo di Vedelago, wo

Gian Battist Zelotti — sicher der unermüd-
lichste unter den Freskenmalern des Cinquecento, er, der die Ausmalung der Villa fast
zu einer eigenständigen Gattung von beacht-
lichem Niveau machte — trotz verhaltenem,
wahrscheinliche vom Architekten auferleg-
ten Ton das beste seiner Kunst zum Ausdruck
bringt.

Herrlich auch — um einmal bei den palladianischen Schöpfungen zu bleiben — die
zum Großteil von Zelottiani gemalten Fresken in der Villa Foscari in Gambarare di Mira, wo auch der launenhafte Battista Franco arbeitete, die der Villa Pojana in Pojana
Maggiore, teils von Zelotti, teils aus der blü-
henden Veroneser Schule mit Bernardino India und Anselmo Canera an der Spitze, die
im Groteskenstil der Villa Badoere in Fratta
Polesine, die wir dem — großen aber fast unbekannten — Künstler verdanken, den Palladio "Giallo fiorentino dipintor" nennt,
und die der Villa Almerico, dann Capra und
jetzt Valmarana "La Rotonda", in Vicenza, deren Fülle an nicht nur malerischer Dekoration, zum Teil auch aus späterer Epoche, eine separate Abhandlung gebührt.

In den meisten der hier genannten Fälle
hat die malerische Ausstattung auf künstle-
rischer Ebene beachtliche, ja teils sogar außerordentliche Bedeutung gewonnen. Fast
nirgends jedoch gelingt es ihr, sich gegen die
Architektur, die sie beherbergt und nicht selten auch prägt, durchzusetzen und eine ei-
genständige Stellung anzunehmen. Dies ist
offensichtlich auf die unterschiedlichen und
gegensätzlichen Bestrebungen des Architekten einerseits und des Malers andererseits zurückzuführen. Wo ersterer bestrebt ist, fe-
ste Proportionen zu setzen und beizubehal-
ten, ist letzterer eher dazu geneigt, Mauern
einzureißen, um einen unendlichen Raum zu
schaffen und immer neue perspektivische Il-
lusionen zu suchen.

Es kann passieren, daß in einigen Fällen
ein harmonisches Zusammenleben von Architektur und Malerei möglich ist und daß
die künstlerische Ausstattung gar positiv auf
Räumlichkeiten mit wenig harmonischen
Maßen einwirkt, im allgemeinen jedoch sind
diese beiden künstlerischen Ausdrucksformen untereinander unvereinbar und ihr Zusammenleben ist deshalb nur dann möglich,
wenn beide von künstlerischen Persönlichkeiten höchsten Niveaus getragen werden.

Das beste Beispiel einer derartigen Vereinigung ist auf dem Gebiet der Venezianischen Villa mit Sicherheit die Villa Barbaro
in Maser, wo die höchsten künstlerischen
Ausdrucksformen des gesamten venezianischen Cinquecento aufeinandertreffen. Die
Architektur eines Andrea Palladios, die Malerei eines Paolo Veroneses und die Bildhauerei eines Alessandro Vittoria, und all das in
einem der delikatesten landschaftlichen
Rahmen.

Es ist höchst wahrscheinlich, daß Palladio ganz und gar nicht mit der Anwesenheit
Veroneses (einem bekannlich höchst unab-
hängigen Geist, der keinesfalls zu Kompro-
missen bereit war) in Maser einverstanden
war und daß er möglicherweise versucht hat,
dessen Eingriff zu verhindern. Wie dem auch
immer sei, bei der Villa Barbaro stellt sich
die Frage nach Unvereinbarkeit zwischen Architektur und Malerei nicht im geringsten,
weil auch letztere einen derartigen künstlerischen Wert hat, daß sie abgesehen von der
Tatsache, ob sie der Harmonie ersterer beiträglich oder kontrastant sei, volle Anerken-
nung verdient.

A.C.

INTRODUCTION

Au début du XVIe siècle, après la funeste période de la Guerre de Cambrai, (de laquelle Venise sortit presque indemne) la nouvelle architecture de la Vénétie se manifeste et s'impose grâce à quelques grands architectes dont les oeuvres tendent à interpréter les exigences éthiques et esthétiques du nouvel humanisme et à élaborer les thèmes classiques de la Renaissance, les adaptant à une sensibilité nouvelle qui vise à donner au milieu environnant un rôle jusque-là ignoré. C'est ainsi que l'on fixe et que l'on codifie le lien indissoluble existant entre la Villa de la Vénétie et le paysage.

Le premier de ces architectes, du moins en considérant l'ordre chronologique, est Giovan Maria Falconetto (1468-1534) de Vérone qui, dans les toutes dernières années d'une vie très active, réalisa pour Alvise Cornaro, à Luvigliano de Torreglia, la Villa des Vescovi où les éléments d'une architecture solennelle s'intègrent d'une façon admirable avec un milieu ambiant naturel extrêmement séduisant. C'est le seul témoignage, avec quelques autres fragments, d'architecture de la Villa qui nous reste de cet artiste; Falconetto avait pourtant déjà manifesté sa nouvelle sensibilité — issue du classicisme mais tendant à s'exprimer en harmonie avec le paysage — en 1524 lorsqu'il avait réalisé à Padoue, toujours pour Alvise Cornaro, la célèbre Loggia et le tout proche Odéon Cornaro qui lui avaient procuré une très vaste renommée allant bien au-delà du territoire de la Vénétie.

De Vérone comme Falconetto et comme lui enclin à accueillir et à élaborer les thèmes classiques de la Renaissance, tout en les adaptant aux exigences de la nouvelle civilisation de la Villa, Michele Sanmicheli (1484-1559)

laisse une empreinte très marquée de sa forte personnalité; il est toutefois un architecte essentiellement militaire et ses oeuvres, bien qu'animées par l'évidente intention, en bonne partie réalisée, de s'ouvrir au paysage environnant, gardent souvent un aspect solennel et sévère qui paraît quelquefois excessif par rapport au type de construction — c'est-à-dire la Villa — et au milieu où elle est insérée.

De telles considérations sur l'art de Sanmicheli sont à vrai dire très forcées; elles s'appuient plus que sur des ensembles de Villas clairement configurés et dont la paternité est hors de doute, sur des attributions de différent type. Il s'agit d'attributions parfois sûres mais représentées par de petits fragments (voir le portail de Villa del Bene à Volargne de Dolcé ou la Chapelle de Villa della Torre à Fumane); parfois fondées mais invérifiables sur le plan concret (comme celle qui concerne Villa Soranza à Treville de Castelfranco Veneto, avec des fresques de Paul Veronèse, détruite vers la moitié du siècle dernier) parfois très logiques mais non prouvées (comme pour la Villa Guarienti à Punta San Vigilio de Garda, la Villa Pisani maintenant mairie de Lonigo et le Palazzo delle Trombe de Agugliaro); traditionnelles enfin mais peu convaincantes (comme celle qui concerne la Villa della Torre à Fumane où paraît plus probable l'intervention de Giulio Romano).

Véritable génie dans d'autres domaines mais peu actif et plutôt incertain dans celui-ci, Jacopo Sansovino se hasarde dans la même période à aborder l'architecture de la Villa et construit à Pontecasale de Candiana l'imposante Villa Garzoni maintenant Carraretto: une oeuvre certainement remarquable par la sobre élégance et l'harmonie de tous ses éléments mais qui n'arrive pas à s'intégrer avec le milieu environnant. Splendide, néanmoins, la cour surélevée de l'arrière dont les arcades surmontées d'une balustrade enrichie de statues créent d'intéressants effets de clair-obscur. Digne aussi d'intérêt le portail monumental inséré dans la ceinture extérieure avec le couronnement caractéristique de type vénitien.

Les oeuvres, nommées ci-dessus, de Falconetto, de Sansovino et de Sanmicheli — interprètes sensibles et fidèles des nombreuses exigences éthiques et esthétiques du nouvel humanisme — impriment une poussée impérieuse et décisive à l'architecture de la Vénétie et à la "Civilisation" de la Villa sous le signe de l'antiquité classique dont les valeurs sont maintenant évoquées et célébrées de toutes parts et sont considérées comme les symboles idéals de la vie sociale.

C'est à ce même moment, pendant que la société est toute empreignée et comme exaltée par de telles "humeurs" culturelles, qu'apparaît et s'impose celui qui sera destiné a jouer un rôle fondamental et unique dans l'architecture de la Vénétie: Andrea di Pietro (1508-1580). Cet artiste — appelé Palladio, une définition érudite et suggestive, par Gian Giorgio Trissino, son Pigmalione, qui en devina le génie au cours des travaux pour la rénovation en style classique de sa Villa de Cricoli, travaux qu'il avait projetés lui-même et qui furent exécutés en 1537, fut non seulement le croyant fidèle et l'infatigable propagateur du classicisme mais en fut surtout l'interprète le plus génial. Il donna en effet forme et vie à une nouvelle civilisation qui est redevable à l'ancienne civilisation classique en ce qui concerne les suggestions formelles et les idées initiales, mais qui ne l'est certainement pas sur le plan du contenu essentiel.

C'est ce qui constitue la particularité de l'art palladien et le grand mérite de cet Architecte extraordinaire: le fait d'avoir régénéré l'aspect monumental de l'art classique, souvent sévère, le rendant sublime tout en le simplifiant et — surtout pour ce qui concerne l'architecture de la Villa — d'avoir su l'harmoniser avec le milieu ambiant. Ce dernier, pour Palladio, est un élément qui complète toujours l'architecture et qui en est à son tour complété.

Grâce à cette nouvelle conception de l'architecture, qui renonçait à la suprématie totale de l'idée pour établir des liens étroits avec le paysage, dans les années qui vont de 1540 à 1580 surgirent dans l'arrière - pays de la Vénétie de grandioses édifices classiques caractérisés par des proportions admirables, par une extrême simplicité et — comme toujours quand il s'agit d'oeuvres d'art authentiques — par un grand élan poétique.

Tout en étant nombreux et splendides, ces édifices ne représentent malheureusement qu'une petite partie de ceux que Palladio avait conçus: beaucoup de ses oeuvres en effet ne furent jamais réalisées (il ne subsiste qu'une "barchessa" avec colombier à Villa Trissino de Meledo de Sarego, la seule "barchessa" à Villa Thiene de Cicogna de Villafranca Padovana, rien pour la Villa Mocenigo "sur la Brenta" à Dolo, presque rien à Villa Ragona de Ghizzole de Montegaldella); d'autres oeuvres ont disparu dans le temps à cause de la négligence des hommes ou pour d'autres motifs (Villa Mocenigo à Marocco de Mogliano Veneto, Villa Repeta à Campiglia des Berici, Villa Sarego à Miega de Cologna Veneta); d'autres encore — les plus nombreuses — n'ont été réalisées qu'en partie ou d'une manière différente par rapport au projet original.

Bien que rapportée au peu qui nous est parvenu, la créativité du Maître nous paraît aujourd'hui vraiment extraordinaire; pour son époque elle a certainement paru étonnante, presque incroyable, une sorte de bienfaisante explosion. Il est aussi hors de doute que l'arrière-pays joua à cette époque, par rapport à Venise mais non en antithèse avec elle, un rôle culturel autonome très important, un rôle qui n'était pas destiné à diminuer dans le temps mais plutôt à augmenter au point d'influencer des civilisations éloignées et très différentes de la civilisation de la Vénétie.

A la lumière de ces considérations le sort échu à une grande partie des projets palladiens paraît aujourd' hui encore plus dramatique et triste et il est naturel de se demander à quel point pourraient être différentes les caractéristiques de la Vénétie si, par exemple, on avait édifié sur la colline de Meledo de Sarego l'ensemble monumental de Villa Trissino suggéré à Palladio par le Temple de la Fortune Primordiale de Palestrina et par le Temple d'Hercule Vainqueur de Tivoli ou si, de même, on avait entièrement édifié dans la campagne de Quinto Vicentino la grandiose Villa des Thiene — clairement inspirée, celle-ci, des anciens thermes romains — dont une toute petite partie, (l'unique construite) suffit aujourd'hui à elle seule à héberger l'administration communale, ou si, finalement, s'élevait sur le canal de Brenta le splendide édifice à quatre loggias, avec portiques et annexes, projeté pour Leonardo Mocenigo (le même de la Villa de Marocco).

Même en dehors de ces projets pharaoniques, on regrette beaucoup la perte de tant d'autres oeuvres, conçues avec une grande générosité mais restées incomplètes. A part quelques cas heureux — mais qui sont doublement encourageants parce qu'il s'agit d'oeuvres palladiennes parmi les plus inspirées (Villa Badoer à Fratta Polesine, Villa Cornaro à Piombino Dese, Villa Foscari à Gambarara de Mira, Villa Barbaro à Maser, Villa Emo à Fanzolo de Vedelago et Villa Capra à Vicence) — qui sont des cas où l'oeuvre fut entièrement réalisée ou très peu

modifiée par rapport au projet original du Maître, toutes les autres Villas palladiennes restèrent incomplètes ou dans le corps principal ou dans les parties latérales ou bien elles furent soumises à des changements plus ou moins importants par rapport au projet initial. C'est ainsi que restèrent incomplètes ou modifiées dans le corps central la Villa Pisani de Bagnolo de Lonigo, la Villa Valmarana à Lisiera de Bolzano Vicentino, la Villa Angarano à Bassano du Grappa, la Villa Pisano de Montebelluna et la Villa Serego à S. Sofia de Pedemonte (dont le sort ressemble plutôt à celui de la Villa Thiene de Quinto Vicentino); tandis que restèrent incomplètes les parties latérales et les maisons rustiques dans la Villa Godi de Lonedo de Lugo Vicentino, la Villa Saraceno de Finale de Agugliaro, la Villa Caldogno de Caldogno, la Villa Pojana de Pojana Maggiore, la Villa Zeno à Donegal de Cessalto et quelques-unes de celles qui ont été nommées ci-dessus comme étant déjà incomplètes ou modifiées dans le corps principal.

Au moment où l'on constate, avec beaucoup de regret, que tant d'oeuvres palladiennes n'ont pas été réalisées (totalement ou partiellement) il est naturel de se demander comment cela a pu se produire et quelles peuvent en avoir été les causes.

Il faut rappeler encore à cet égard que Palladio projetait ses oeuvres toujours avec grandeur, sous la poussée de son élan poétique et sans tenir absolument pas compte des problèmes d'ordre pratique: par conséquent ses projets étaient souvent grandioses, presque utopiques, demandaient des temps d'exécution très longs et entraînaient surtout des dépenses excessives par rapport aux possibilités réelles des différents clients. Ceux-ci appartenaient rarement à la très riche noblesse vénitienne mais faisaient plutôt partie de l'ancienne noblesse de campagne qui était quelquefois plus prestigieuse quant aux origines et qui nourrissait dans son sein l'ambition d'un sort privilégié mais qui était sans doute dotée de moyens financiers beaucoup moins consistants par rapport aux seigneurs vénitiens qui avaient parfois accumulé des fortunes incroyables grâce au commerce maritime.

Comme il est compréhensible les omissions et les modifications ont créé une grande confusion; cette circostance et le fait que les documents à notre disposition sont parfois incertains ou absents ont contribué à augmenter l'incertitude et la paternité de certaines oeuvres qui sont très probablement de Palladio, (Villa Forni et Villa Tornieri — ensuite détuite — à Montecchio Precalcino, Villa Chiericati à Vancimuglio de Grumolo des Abbadesse, Villa Valmarana à Vigardolo de Monticello de Conte Otto, Villa Muzani à la Pisa de Malo — sautée en l'air par une explosion de munitions le 25 mars 1919 — et Villa Piovene à Lonedo de Lugo Vicentino) reste jusqu'à présent douteuse malgré l'énorme quantité d'études spécifiques faites dans les trente dernières années.

Même en dehors de celles dont la paternité est encore incertaine, l'ensemble des oeuvres palladiennes, parmi lesquelles on peut compter au moins une vingtaine de Villas, reste considérable. Ces Villas, distribuées pour la plupart dans le territoire de Vicence, présentent des formes et des caractéristiques très différentes: elles peuvent avoir (comme elles l'ont souvent) le même plan et les mêmes éléments structuraux mais ceux-ci, se composant entre eux de façon différente et suivant des modules et des découpes diversifiées, ne donnent jamais le même résultat et se présentent plutôt à l'oeil du connaisseur comme des oeuvres tout à fait autonomes dont le message est chaque fois différent.

Une fois acceptée cette prémisse fondamentale, on peut convenir, pour en faciliter l'étude, que les Villas palladiennes sont divisibles en schémas ou types qui peuvent être réduits à quatre:

a) la Villa à plan central dans laquelle Palladio développe l'idée de la Villa-Temple propre du classicisme romain et toute proche de la nouvelle sensibilité de la Renaissance: Villa-Temple considérée comme le milieu idéal pour exercer les plus hautes disciplines de l'époque telles que la littérature, la philosophie, l'art et les sciences.

Si l'on exclut le cas du Tempietto Barbaro de Maser — très secondaire par rapport à l'idée de la Villa et en tout cas successif parce qu'il appartient à la dernière période — et le cas de Villa Trissino de Meledo de Sarego, restée malheureusement un rêve, dans le vaste panorama des créations palladiennes il existe une seule oeuvre qui atteint ce but: la Villa Almerico, ensuite Capra et maintenant Valmarana, dite ''La Rotonda'' dans laquelle l'idée de la Ville-Temple est évoquée impérieusement par le choix d'éléments sacrés tels que la coupole et le pronaos et où chaque élément est subordonné d'une façon péremptoire à un pivot central suivant les indications que d'autres grands artistes de l'époque (Léonard, Bramante, Michel-Ange) avaient exprimé dans des édifices religieux de la Renaissance qui sont restés célèbres.

La ''Rotonda'' est donc la Villa-Temple par excellence mais le sont aussi la Villa Foscari dite ''la Malcontenta'' à Gambarara de Mira par son atmosphère autant que par l'intention de son auteur, et la Villa Badoer dite ''la Badoera'' à Fratta Polesine: à certains égards incompréhensible et presque ostile, mais riche de suggestions la première, et extrêmement harmonieuse dans ses formes et très poétique dans son ensemble la seconde.

Tout en ayant des caractéristiques différentes — qui les placent dans une catégorie autonome mais non moins importante —

d'autres Villas présentent une structure de Temple bien marquée seulement dans le corps central dont la religiosité — religiosité intense bien que de dérivation païenne — s'attenue et se dilue toutefois sur les côtés où se développent deux longues arcades symétriques avec les colombiers aux extrémités.

Deux exemples superbes de cette solution (exemples d'une importance fondamentale même à d'autres égards) sont constitués par les Villas trévisanes: Villa Barbaro de Maser

principale du corps central représentent le deuxième groupe des oeuvres palladiennes. Elles appartiennent surtout à la période de la jeunesse et ont été souvent injustement négligées (surtout au XVIIIe siècle et pendant la successive période néoclassique qui sont des époques où le style palladien réveilla un nouveau intérêt et reprit une nouvelle vie) parce qu'on les estimait trop pauvres par rapport à l'architecture classique.

Le malentendu qu'une oeuvre est palla-

A. Palladio (attr.) — Villa Chiericati a Vancimuglio di Grumolo delle Abbadesse (VI).

et Villa Emo de Fanzolo de Vedelago qui intègrent d'une façon admirable de différents éléments: les éléments classiques qui doivent satisfaire les exigences de représentance du client et les constructions rurales qui doivent répondre à des exigences de caractère fonctionnel.

b) les Villas à trois ouvertures sur la façade

dienne (ou qu'elle présente sau moins les caractéristiques de l'art palladien) à condition qu'elle soit dotée du plus éclatant symbole du classicisme, c'est-à-dire du pronaos surmonté d'un fronton triangulaire, n'a pas rendu justice à la renommée du maître et a empêché ou retardé la pleine compréhension de ses idées et de l'essence même de son originalité.

Quand on affirme — comme on l'a trop souvent fait — que la Villa Saraceno de Agugliaro présente une architecture plutôt modeste on exprime une opinion hâtive et grossière qui n'avilit pas l'oeuvre mais la personne qui hasarde ce jugement; c'est justement grâce à sa sobriété que l'édifice atteint une limpidité, une harmonie et une poésie tout à fait rares.

Les oeuvres palladiennes qui appartiennent à ce groupe sont nombreuses et toutes différentes entre elles grâce à l'utilisation savante et variée des éléments et à la manière toujours différente dont est traité le motif qui les regroupe, c'est-à-dire celui des ouvertures. Les trois ouvertures sont présentes dans la Villa Saraceno où l'on ne réalisa jamais les deux grandes ailes disposées en coude que Palladio avait prévu dans "Les Quatre Livres de l'Architecture"; dans la Villa Godi de Lonedo de Lugo Vicentino où elles sont insérées dans le corps central qui est ici rentrant et non saillant (solution destinée à rester, heureusement peut-être, unique); dans la Villa Gazzotti de Bertesina de Vicence dont la façade très allongée est marquée par d'élégants pilastres d'ordre composite; dans la façade nord de Villa Zeno à Donegal de Cessalto où les arcades reproposent la découpe légèrement allongée de Bertesina et de Finale anticipant celle des arcades de Maser.

Le motif des trois ouvertures présente des solutions complètement différentes, dues à l'emploi du bossage rustique dans la façade principale de Villa Caldogno à Caldogno et dans la façade de Villa Pisani à Bagnolo de Lonigo: elles sont plus allongées et précédées d'un vaste escalier en éventail dans le premier cas; plus sévères, surmontées d'une frise et d'un fronton et accentuées par des pilastres en bossage dans le deuxième.

Il reste à souligner, toujours à propos de Villa Pisani de Bagnolo — restée incomplète dans la façade ouest et dans les parties latérales — que c'est surtout le motif des ouvertures qui constitue son plus grand intérêt à l'extérieur; à l'intérieur elle atteint une atmosphère d'exceptionnelle grandeur dans l'immense salle croisée qui recrée la suggestion des anciens thermes romains.

c) le motif des deux loggias superposées dans la façade principale, motif qui est parfois répété même sur la façade opposée, caractérise le troisième groupe de Villas palladiennes, toutes conçues probablement entre 1550 et 1560.

Déjà peu nombreuses à l'origine, quelques-unes de ces Villas eurent une naissance tourmentée et une existence brève. On ne réalisa qu'en partie la Villa projetée pour Leonardo Mocenigo à Marocco de Mogliano Veneto et la Villa projetée pour Annibale Sarego à Miega de Cologna Veneta, ensuite détruites; on édifia, mais d'une manière incomplète et presque totalement différente, la Villa conçue pour Giovan Francesco Valmarana à Lisiera de Bolzano Vicentino qui subit en outre les bombardements de la deuxième guerre mondiale.

Ce troisième groupe de Villas, si malheureusement endommagé et reduit, est maintenant représenté par la Villa construite pour Francesco Pisani à Montagnana, Villa qui étant insérée dans une zone suburbaine tend à prendre plus l'aspect d'un palais que d'un centre coordonnant l'activité agricole, et plus encore par la Villa construite pour Giorgio Cornaro à Piombino Dese. Cette dernière, désormais insérée elle aussi dans un contexte urbain, a un aspect plus élégant et plus léger par rapport à la précédente dû à l'utilisation d'ordres et d'éléments moins sobres et surtout à la présence du grand pronaos septentrional très saillant.

A l'intérieur les deux édifices présentent des solutions de planimétrie essentiellement différentes, mai ils sont cependant tous les deux axés sur un grand salon à plan carré dit "des quatre colonnes"; sur ces colonnes s'appuient, dans la Villa de Montagnana, une voûte splendide aux délicats effets de clair-obscur et, dans celle de Piombino Dese, de robustes architraves qui soutiennent des poutres délicieusement peintes.

d) on place dans ce dernier groupe toutes les autres oeuvres palladiennes qui ne présentent aucun des schémas ou des types pris en examen jusqu'à présent, c'est-à-dire celles qui ont été projetées plus librement et en dehors de la rigoureuse contrainte du classicisme.

Il faut certainement mettre au nombre de celles-ci la Villa Pojana de Pojana Maggiore qui présente au centre de la façade la grande et splendide "serliana" surmontée d'un arc avec cinq petites ouvertures rondes et d'un grand fronton sans base, mais aussi la Villa Sarego de S. Sofia de Pedemonte avec son étonnant motif continu de la colonne ionique d'ordre géant dont le fût est obtenu par la superposition de gros bossages rustiques: un motif qui a été sans doute tiré des anciens modèles romains et de quelques oeuvres plus récentes de Giulio Romano et de Michele Sanmicheli mais qui, librement intepété, crée ici d'étonnants effets de clair-obscur qui donnent à l'ensemble un aspect dramatique et élégant à la fois.

Dans la Villa Thiene de Quinto Vicentino, il ne reste, comme on a dit, qu'une petite partie du corps latéral mais on comprend facilement d'après le projet qu'elle aurait dû présenter des solutions hardies et originales tout en utilisant les éléments classiques désormais habituels. On peut faire la même considération pour la Vila Repeta de Campiglia des Berici, aujourd'hui détruite, qui présentait de longues arcades à peine soulignées au centre par un petit fronton et l'on peut aussi ajouter que les très hauts pronaos projetés pour Odoardo et Teodoro de la Villa

Thiene à Cicogna de Villafranca Padovana et pour Girolamo à Ghizzole de Montegaldella auraient été certainement courageux et nouveaux.

Parallelement à l'essor de l'art palladien et donc de l'architecture, ou assiste au XVIe siècle au surprenant réveil des autres arts: de la peinture surtout qui a désormais consolidé les caractéristiques et le rôle que lui avaient donné les grands maîtres de la première période de la Renaissance et de la sculpture qui, sous la poussée du classicisme, renouvelle ses anciennes splendeurs.

La convergence de ces trois arts dans la Villa — qui constitue d'elle-même un fait artistique composite, promoteur à son tour d'art et de goût — devient presque inévitable et tous les espaces, à l'intérieur comme à l'extérieur, se peuplent ainsi de personnages héroïques, divins et humains, aux formes corpulentes et aux gestes éloquents, peints pour exalter les fastes glorieux, les éclatantes vertues et les grandes entreprises de la nouvelle société. C'est une exigence qui naît surtout de la nouvelle et haute conception de l'homme et de la remise en valeur du classicisme ancien, du retour du paganisme et de la crise contemporaine du christianisme: ainsi, tandis que les symboles de la piété traditionnelle sont mis de côté, les divinités de l'Olympe et les personnages mythologiques représentent à nouveau les aspects dominants et positifs de la vie sociale et surtout — avec les héros les plus symboliques de l'histoire romaine — les nombreuses et sublimes vertues que l'homme moderne est capable d'exprimer.

Vers la moitié du XVIe siècle il n'existe presque pas de Villas d'une certaine importance qui n'aient, dans une mesure plus ou moins vaste, des parois décorées de fresques: il en est de même pour le château qui, s'ornant justement de fresques, hâte le processus de transformation commencé au siècle précédent (il suffit de rappeler à ce propos le château de Thiene à Thiene avec les fresques de Gian Antonio Fasolo er le château de Colloredo, à Colloredo de Montalbano, avec les fresques de Giovanni de Udine.

Dans certains cas — spécialement dans quelques-unes des plus importantes Villas palladiennes — l'on exécute de véritables cycles picturaux, parfois grandioses, où travaillent de grands artistes avec une nombreuse foule d'élèves. Voilà pourquoi sont justement célèbres le cycle de Villa Godi à Lonedo de Lugo Vicentino où Gualtiero dell'Arzere, Gian Battista Zelotti et Battista del Moro ont orné de fresques les parois de onze pièces et le cycle de Villa Caldogno à Caldogno où ont travaillé Gian Antonio Fasolo et autres mais sont également célèbres les fresques de Villa Emo à Fanzolo de Vedelago où Gian Battista Zelotti — certainement le plus actif des peintres du XVIe siècle, celui qui fit de la peinture de la Villa un genre à part, d'une qualité remarquable — réussit à exprimer ses meilleures capacités bien que contraint par les limites imposées par l'architecte.

Splendides aussi, toujours dans le domaine des édifices palladiens, les fresques, pour une grande partie de Zelotti, de Villa Foscari à Gambarara de Mira (où s'exprima aussi le talent bizarre de Battista Franco); celles de Villa Pojana à Pojana Maggiore, en partie de Zelotti et en partie de la florissante école de Vérone qui se reconnaissait dans la peinture de Bernardino India et d'Anselmo Canera; celles, en grotesque, de Villa Badoer à Fratta Polesine qui sont l'oeuvre de l'artiste — très valable mais presque inconnu — que Palladio appelle ''Giallo Fiorentino dipintor'' et celles de Villa Almerico, ensuite Capra et maintenant Valmarana ''la Rotonda'' de Vicence, dont la richesse de décorations, non seulement picturales et non seulement du XVIe siècle, mérite un discours

56

à part.

Dans les nombreux cas cités la décoration picturale prend, sur le plan des valeurs artistiques, une importance considérable, parfois exceptionnelle, mais elle ne réussit presque jamais à réaliser une complète autonomie par rapport à l'architecture qui l'abrite et la conditionne en même temps. Cela dépend évidemment des différentes et contrastantes tendences de l'architecte et du peintre: le premier préoccupé d'établir et de garder des proportions stables et l'harmonie des volumes; le deuxième poussé plutôt à rompre la ligne des parois pour rechercher des espaces infinis et des illusions de perspective toujours nouvelles. Il arrive aussi, dans quelques cas, que s'établisse un équilibre entre l'architecture et la peinture et que la décoration picturale consente de récupérer l'harmonie de quelques pièces où les proportions laissaient à désirer; dans la presque totalité des cas, cependant, ces deux expressions artistiques sont en contraste entre elles et ne s'intègrent que lorsqu'elles sont réalisées par des artistes de grande valeur.

Le cas le plus éclatant de cette fusion, toujours dans le domaine des Villas de la Vénétie, est certainement représenté par Villa Barbaro de Maser où convergent les plus hautes expressions artistiques du XVIe siècle, l'architecture de Andrea Palladio, la peinture de Paolo Veronese et la sculpture d'Alessandro Vittoria et tout l'ensemble est inséré dans un milieu ambiant d'une rare élégance. Il est très vraisemblable que Palladio n'ait pas apprécié la présence de Paolo Veronese à Maser (un esprit notoirement indépendant et peu enclin aux compromis) et qu'il ait cherché à l'éviter; de toute façon à Villa Barbaro le problème de l'incompatibilité entre l'architecture et la peinture ne se pose absolument pas parce que la peinture aussi atteint des résultats tels qu'on l'apprécie indépendamment du fait qu'elle harmonise ou non avec l'architecture.

A.C.

INTRODUCTION

At the beginning of the 16th century, after the unfortunate period of the so-called War of Cambrai (from which Venice emerged practically undamaged), the new Veneto architecture began to reveal itself, and gain vast popularity. This was thanks to some great architects, whose work tended to interpret the ethic and aesthetic demands of the new humanism and develop the themes of Renaissance classicism suiting these to the requirements of a new sensibility inclined to give the natural environment a rôle which had up to then been ignored. In this way the indissoluble bond between the Venetian Villa and the landscape was sanctioned and codified.

First, in order of time, among these architects was Giovan Maria Falconetto from Verona (1468-1534), who in the last years of his industrious life built Villa dei Vescovi at Luvigliano di Torreglia for Alvise Cornaro. In this Villa the solemn architectural elements are wonderfully blended with the extremely pleasant natural surroundings. All this, with few other elements is what concerns Villa architecture; Falconetto however had shown openly his new sensibility deriving from classicism, but inclined to be expressed in harmony with the landscape, already in 1524 when, once again for Alvise Cornaro, he built in Padua the famous Loggia with the nearby Odeo Cornaro, rightfully gaining fame in Veneto and all over the country.

Born in Verona, like Falconetto, and like him inclined to gather and elaborate the starting points of Renaissance classicism, adapting them to the requirements of the new "Civiltà di Villa" (Villa Civilization), Michele Sanmicheli also left the mark of his strong personality; he, however, was above all a military architect, and his works — even though pervaded by a clear and quite successful intent to relate to the surroundings — often present a solemn and severe tone, which sometimes appears excessive considering the type of building — the Villa — and its surroundings.

The basis of the above consideration of Sanmicheli's art is in fact, quite forced; more than from the existence of Villa complexes of clear configuration and doubtless paternity, it derives from various types of attributions. These attributions are sometimes sure, but represented by fragments (such as the portal of Villa del Bene at Volargne di Dolcè, or the Chapel of Villa Della Torre at Fumane); sometimes well-founded, but not anymore verifiable in a concrete sense (such as in the case of Villa Soranza at Treville di Castelfranco Veneto, with frescoes by Paolo Veronese, destroyed at the beginning of the last century); sometimes reasonable, but not proved (such as Villa Guarienti at Punta San Vigilio di Garda, Villa Pisani now the Town Hall at Lonigo and the Palazzo delle Trombe of Agugliaro); traditional, but little convincing (such as concerns Villa Della Torre at Fumane, which would seem more likely to be the work of Giulio Romano).

During the same period, Jacopo Sansovino, (1486-1570) who was a real giant in other aspects, but who in this field was remarkably uncertain, ventured on the scene of the "Civiltà di Villa". He built, at Pontecasale di Candiana, the grandiose Villa Garzoni, now Carraretto: an undoubtedly remarkable work of art for its sober elegance and harmony of elements, but its relationship with the surrounding natural landscape is rather weak. However, the elevated courtyard at the back is splendid with the shaded open gallery surmounted by a balustrade with statues, and the monumental portal inserted in the surrounding wall is particularly interesting, with its characteristic Venetian style corona.

The works of Falconetto, Sansovino and Sanmicheli — faithful and sensitive interpreters of the many ethic and aesthetical requirements of the new humanism — impressed on the Veneto architecture and on the "Civiltà di Villa" a strong and decisive thrust reelaborating the ancient classicism, the values of which were then evoked, celebrated and made the symbol of all the ideals of civilized living.

It was in this situation, when society was pervaded and as if exalted by such cultural spirit that he who was destined to assume a unique fundamental rôle in Veneto architecture of all time, appeared on the scene: Andrea di Pietro (1508-1580). Called "Palladio" by his Pygmalion Gian Giorgio Trissino, an amateur architect who designed and carried out the restructuring of his own Villa di Cricoli (Vicenza) in classical style, in 1537, he was not so much and not only the faithful believer and untiring propagator of classicism, but also — and above all - its genial interpreter; he, in fact, gave shape and life to a new civilization, which should be considered inspired by the Roman classical civilization for what regards the formal suggestions and starting points, but certainly not for what regards the essential contents.

This in fact, is the unusual aspect of Palladio's art and the sublime merit of this great architect: for he regenerated the ancient monumental classicism, often austere, reaching sublimity through simplicity, and — particularly for what regards the Villa —

harmonizing it with the natural surroundings. The latter, according to Palladio, always completed the architecture, and are in turn completed by the architecture.

In the light of this new way of conceiving architecture, a way which renounced the total supremacy of ideation to establish a subtle interfusion with the landscape, during the years between 1540 and 1580 in the Venetian hinterland grandiose classical buildings rose characterized by remarkable proportions, extreme simplicity and — as all authentic works of art — by live poetry.

Although numerous and magnificent, these buildings represent, unfortunately, only a part of those conceived by Palladio: many of his works, in fact, were never completed (only a "barchessa" with dovecote at Villa Trissino at Meledo di Sarego, a "barchessa" at Villa Thiene di Cicogna at Villafranca Padovana, nothing at Villa Mocenigo "sopra la Brenta" at Dolo, almost nothing at Villa Ragona at Ghizzole di Montegaldella); others were lost over the years due to ignorance or other causes (Villa Mocenigo at Marocco di Mogliano Veneto, Villa Repeta at Campiglia dei Berici, Villa Sarego alla Miega at Cologna Veneta); yet others — the majority — were only partially realized or in a deformed manner in respect to the original plan.

Even if compared to the little which can be found today, the creativity of the master still appears remarkable; at the time it must have been astonishing, almost incredibile, like a beneficial explosion. Undoubtedly the mainland thus achieved, at that time in respect to, and not in contrast with Venice, a position of great importance, which in time became so strong as to influence distant civilizations very different from that of Veneto.

In the light of these considerations, the fate of a large part of Palladio's creations seems even sadder and more dramatic, and one wonders how different Veneto would look if, for example, the mastodontic citadel of Villa Trissino inspired by the Temple of Fortuna Primigenia at Palestrina and the Temple of Hercules the Victor at Tivoli, had been erected on the hill of Meledo di Sarego; or if in the countryside around Quinto Vicentino, the grandiose residence of the Thiene family — clearly inspired by the ancient

for the many other works which were also conceived with great munificence, but have remained fruitless, apart from some fortunate cases — doubly consoling because involving some of the most highly inspired works of Palladio (Villa Badoer at Fratta Polesine, Villa Cornaro at Piombino Dese, Villa Foscari at Gambarare di Mira, Villa Barbaro at Maser, Villa Emo at Fanzolo di Vedelago and Villa Capra in Vicenza) —

A. Palladio (attr.) — Villa Forni, Cerato a Montecchio Precalcino (VI).

Roman baths — had been completed, a small fragment (the only part constructed) entirely houses the local administration offices; or finally, if the fantastic complex with four loggias, galleries, adjoining buildings and out-houses created for Leonardo Mocenigo (the same as the Villa of Marocco) existed still today along the Brenta Canal.

Even if we leave out of consideration such pharaonic projects, deep regret is felt

cases in which the work of art was completely carried out and with insignificant deviations from the original idea of the master, all the other Villas of Palladio remained unfinished in the central body or in the adjoining buildings, or underwent substantial modifications of the original plan: such was the case of the following Villas which remained incomplete and modified in the central body: Villa Pisani at Bagnolo di Lonigo,

Villa Valmarana at Lisiera di Bolzano Vicentino, Villa Angarano in Bassano del Grappa, Villa Pisani at Montagnana, and Villa Sarego at S. Sofia di Pedemonte (the fate of which is more properly compared to that of the above mentioned Villa Thiene at Quinto Vicentino); the Villas which are incomplete in their adjoining buildings and out-houses are Villa Godi Valmarana of Lonedo di Lugo Vicentino, Villa Saraceno of Finale di Agugliaro, Villa Caldogno of Caldogno, Villa Pojana of Pojana Maggiore, Villa Zeno at Donegal di Cessalto and some others mentioned above, because already incomplete or modified in the main section.

In observing, with a strong sense of disappointment, the many unifinished (totally or partially) works of Palladio, one wonders how all this could have happened, and what were the causes of such unfulfilment.

It must be reiterated that Palladio always created his works with great magnanimity, inspired poetically and totally unconditioned by any circumstances of pratical nature; his plans were consequently, often grandiose, almost utopian, entailing execution times which were too long and they involved, above all, decidedly excessive financial obligations in respect to what the purchasers could actually afford. These rarely belonged to the extremely rich Venetian patriciate, but more frequently to the old nobility of the hinterland: the latter, at times was more prestigious from the point of view of its origin, and for this reason nourished a deep sense of ambition towards a far-reaching destiny, but undoubtedly of inferior financial means in respect to the former who, through lucrative trading by sea had become extremely rich and, in some cases, incredibly so.

As can be understood, omissions and modifications often contributed to create

confusion; this, as well as the fact that the sources of evidence are sometimes uncertain or lacking, always caused uncomfortable doubt, and the paternity of some works (Villa Forni at Montecchio Precalcino, Villa Tornieri — then destroyed, Villa Chiericati at Vancimuglio di Grumolo delle Abbadesse, Villa Valmarana at Vigardolo di Monticello Co. Otto, Villa Muzani at Pisa di Malo — blown up by an explosion of ammunition 25/3/1919, and Villa Piovene at Lonedo di Lugo Vicentino), almost certainly Palladian, consequently still remains doubtful in spite of the enormous amount of study carried out in the last thirty years.

Leaving aside, however, those of doubtful paternity, in the Palladian regest there are still to be found many works, and among these about twenty Villas. These, for the most part distributed around the territory of Vicenza, present various characteristics and design: they may often have the same line and structural elements, but these lines and elements when arranged together in various ways according to different modules and forms, never gave the same result, but instead, appear to the attentive eye as perfectly autonomous creations, each suggesting a notably different atmosphere.

After having clearly expressed this fundamental fact, it can also be agreed that the Palladian Villas can be divided, for the convenience of study into schemes or types and that these schemes or types are substantially four:
a) The Villa with a centralized plan in which Palladio pursued the idea of the Temple-Villa, typical of Roman classicism and so near to the new Renaissance humanistic taste: Temple-Villa as the ideal centre for the exercise of the highest disciplines of the day, such as literature, philosophy, art and science.

Except for the case of the Tempietto Barbaro of Maser - which is rather marginal for what regards the idea of Villa, and anyway belongs to a much later period — and if we exclude Villa Trissino di Meledo di Sarego, which unfortunately remained but a dream, in the really vast panorama of Palladian creations, only one work exists which fully satisfies such aims: Villa Almerico, then Capra and now Valmarana, called "La Rotonda", in which the concept of "Temple-Villa" is strongly represented by the choice of such ecclesiastical elements as the dome and pronaos, and where each element is peremptorily subordinated to a central fulcrum according to the indications which other great masters of the temple (Leonardo, Bramante, Michelangelo) had expressed in many famous Renaissance religious buildings.

The Rotonda is, therefore, pre-eminently a Temple-Villa; but also Villa Foscari, called the "Malcontenta" at Gambarare di Mira, and Villa Badoer, called "La Badoera", at Fratta Polesine are Temple-Villas not only because intended so by the architect, but also because of their atmosphere: the former appearing in some aspects incomprehensible or even hostile, yet highly evocative, the latter being of extremely harmonious lines and altogether very poetic.

Although possessing different features — which place them in a separate, but certainly not secondary, category — other Villas present a solemn and strongly marked temple impression only in the central body, the religiousness of which, however, — intense even if of pagan extraction — fades and weakens at the sides, where two long symmetrical arcades extend with characteristic dovecots at the extremities.

Two superb examples of this kind (examples of fundamental importance for other reasons) are in the area of Treviso, Villa Bar-

baro at Maser and Villa Emo of Fanzolo di Vedelago which beautifully present the fusion of different elements; the classical elements, meant to express the owner's desire to show splendor, and rustic elements that were necessary for the practical running of the estate.

b) The Villas with three bays on the principal façade of the main building represent the second group of Palladian works. These belong prevalently to his early period and were often neglected (especially, in the 18th century and in the following classical period, in which the Palladian style was rediscovered and very fashionable) because they were considered poor examples of classical architecture.

The misunderstanding that a work of art is however Palladian (or at least presented Palladian characteristics) because it featured the most striking symbol of classicism, that is the pronaos surmounted by a triangular pediment, contributed very little to the master's fame and often impeded, or delayed, the complete understanding of his ideas and the very essence of his originality.

To affirm, for example, as it has sometimes been affirmed, that the architecture of Villa Saracena of Finale di Agugliaro is of little value, simply means to make rough and hasty judgement, degrading only he who expresses it; infact, by reason of its sobriety, perhaps no other prospect appears as limpid, harmonious and altogether poetic.

The Palladian works which belong to this type are numerous and all differ from one another for the varied, knowledgeable use of the elements and for the diverse ways in which their common motif, the bays, is treated. Apart from the obove-mentioned Villa Saracena, the two great L-shaped wings of which were never realized, although foreseen by Palladio in the "Quattro Libri dell'Architettura" (The Four Books of Ar-

chitecture, Venice 1570), the three bays are present in Villa Godi of Lonedo di Lugo Vicentino, where they are inserted in the central body, which, instead of projecting forward, withdraws into the building (this motif was never — fortunately, perhaps — repeated); in Villa Gazzotti of Bertesina di Vicenza, in which the movement in the façade is markedly horizontal and rhythmically interrupted by elegant pilaster strips of the Composite order; in the northern façade of Villa Zeno at Donegal di Cessalto, where the shape of the arches is slightly longer than those of Bertesina and Finale anticipating that of the arcades of Maser.

The motif of the three bays presents a completely different situation, due to the use of rustication, in the main façade of Villa Caldogno at Caldogno and in the façade facing east of Villa Pisani at Bagnolo di Lonigo: the former of elongated shape and preceded by wide flights of semi-circular steps, in the first case more severe, surmounted by a frieze and a pediment, and in the second case rhythmically interrupted by robust rusticated pilaster strips.

When speaking about the above-mentioned Villa Pisani of Bagnolo, it must be added that — left unfinished in its western façade and adjoining buildings — the most interesting point of its exterior is accentuated in the motif of the bays; in the interior it presents tones of exceptional solemnity in the large cross-vaulted salon creating the atmosphere which once surrounded the ancient Roman baths.

c) The motif of the two superimposed loggias on the main façade, sometimes repeated on the opposite façade, characterizes the third group of Palladian Villas, all of which were presumably created by the master between 1550 and 1560. Originally, these Villas were already quite few, and unfortunately,

some of them had a difficult beginning and a brief existence. Only partially built and then destroyed were, in fact, the Villa designed for Leonardo Mocenigo at Marocco di Mogliano Veneto and the one designed for Annibale Sarego at Miega di Cologna Veneta; the Villa designed for Giovan Francesco Valmarana at Lisiera di Bolzano Vicentino was built, but unfinished and totally deformed, and was then bombed at the end of World War II.

So badly hit and reduced in number, this group is now represented by the Villa built for Francesco Pisani at Montagnana which because of its being part of the suburban scene, tends to assume the appearance of a town palace rather than the administrative centre of agricultural activity, and even more so by the Villa built for Giorgio Cornaro at Piombino Dese. This Villa too is now part of the town, but it appears lighter and more animated than the former thanks to the less sober elements and orders used and also for the notably marked projection of the great pronaos to the north.

In the interiors, the two buildings present substantially different planimetric designs each centering however, on a huge square-shaped atrium called, in both cases, "the hall of the four columns"; at Montagnana these support a magnificent ceiling which presents a delicate chiaroscuro effect, and at Piombino Dese, robust architraves on which rest the beautifully painted beams.

d) All the other Palladian works which cannot come under the headings of the above mentioned schemes or types and are not so austere and less burdened by classicism, form the last group.

We should certainly include in this group Villa Pojana of Pojana Maggiore which presents at the centre of its façade the huge, magnificent Serliana surmounted by a corona decorated with oculi and a wide pediment without a base, and also Villa Sarego of S. Sofia di Pedemonte with its astonishing repeated motif of the Giant order of Ionic column, the shaft of which was constructed by superimposing huge rusticated ashlars: this motif was certainly inspired by ancient Roman designs and also by some more recent works by Giulio Romano and Michele Sanmicheli, but which here, freely reelaborated, creates a wonderful chiaroscuro effect giving the whole building a dramatic, and at the same time, elegant tone.

Only a fragment, as has already been said, remains of Villa Thiene at Quinto Vicentino. What is more, it is a fragment of a secondary building, but one can easily see from the plan that it would have presented new audacious lines although incorporating the usual classical elements. The same can also be said for the destroyed Villa Repeta of Campiglia dei Berici with the long loggia, whose simplicity is only just interrupted by a little pediment at the centre, and it can be added that the high pronaoi designed for Odoardo and Teodoro Thiene at Cicogna di Villafranca Padovana and for Girolamo Ragona at Ghezzole di Montegaldella — if they had been completed — would have been new and audacious.

More or less together with the explosion of Palladio's art and therefore of his architecture, in the 16th century there was an astonishing development of the other arts: of painting, above all, which at this time consolidated the characteristics impressed upon it by the great masters of the early Renaissance, and of sculpture, which succeeded in renewing its ancient splendour through the new classicism.

The prompt confluence of the three arts in the Villa — which was already in itself a composite artistic fact, generating art and taste — was more or less inevitable, and every space inside and outside was populated by heroic, and human characters of corpulent forms and eloquent gestures, tending to exalt with emphasis the glorious magnificence, the luminous virtues and the mythical feats of the new society. It was claimed by the exaltation of man, according to the fashion, and at the same time, the recovery of the values of ancient classicism, the new wave of paganism and at the same time, the crisis of Christianity: so whilst the symbols of the traditional piety were put aside, the gods of Olympus and the characters of the mythological world once again represent the positive and most important aspect of civilized living and above all — together with the most emblematic heroes of Roman history — the many sublime virtues that modern man is capable of expressing.

Around about the middle of the 16th century there did not exist, one can say, a Villa of a certain standard whose walls were not decorated with frescoes: and so also the castle, which through decorating its walls with frescoes hastened the transformation begun in the previous century, (examples of this fact are the Castle of Thiene, at Thiene, with frescoes by Gian Antonio Fasolo, 1530-1572 and the Castle of Colloredo at Colloredo di Montalbano, with frescoes by Giovanni da Udine).

In some cases — expecially in some of the most important Palladian Villas — true pictorial cycles were carried out, grandiose at times, engaging great artists with large groups of assistant-pupils. Rightly famous is the cycle at Villa Godi of Lonedo di Lugo Vicentino where Gualtiero Dell'Arzere, Battista Zelotti and Battista del Moro decorated with frescoes as many as eleven rooms, and the cycle of Villa Caldogno at Caldogno by Gian Antonio Fasolo and others, but just as famous are the frescoes of Villa Emo at Fanzolo di Vedelago, where Battista Zelotti — certainly the most active among the 16th century frescoists, who with his painting of Villas created almost a new trend, of remarkable quality — succeeded in expressing himself at his best within the limits presumably imposed on him by the architect.

Remaining within the sphere of the Palladian buildings, there are many magnificent frescoes, mainly by Zelotti: at Villa Foscari of Gambarare di Mira where Battista Franco also worked), at Villa Pojana of Pojana Maggiore, perhaps in part by Zelotti, and part by the flourishing School of Verona directed by Bernardino India and Anselmo Canera, the "grotesques" of Villa Badoer at Fratta Polesine, by that excellent but almost unknown artist whom Palladio called "Giallo fiorentino dipintor", and those of Villa Almerico, then Capra and now Valmarana "La Rotonda" at Vicenza whose wealth of decoration, not only pictorial and not only 16th century, should be considered apart.

In the many cases mentioned the pictorial wealth assumed remarkable importance, sometimes exceptional, for its artistic value but almost never succeeded in reaching an autonomous position with regard to the architecture which surrounded it and which often limited its expression.

This evidently depends on the different and contrasting tendencies of the architect and of the artist: the former inclined to keep stable proportion and harmony of volume, whilst the latter was given to break every wall to seek infinite space and ever new prospective illusions.

On some occasions, it could even happen that architecture and painting balanced each other and that the pictorial decoration of a room of scarsely harmonic proportions, improved the architectural tone; in the majority of cases though, the two expressions of art appear incompatible and their union can be possible only when they are the expression of artistic personalities of an extremely high level.

The most striking example of such a union, in the area of the Venetian Villas is certainly that of Villa Barbaro of Maser where the highest expressions of Veneto art of the 16th century, are represented together: the architecture of Andrea Palladio, the painting of Paolo Veronese and the sculpture of Alessandro Vittoria; all inserted into the most delicate surroundings.

It is very probable that Palladio was not at all pleased about the presence at Maser of Veronese (famous for his independent spirit and certainly not inclined to compromise); at Villa Barbaro, however, the problem of incompatibility between architecture and painting does not arise, because the latter is of such high artistic value that it is accepted apart from the fact of whether it harmonizes or is in contrast with the former.

A.C.

REGINA VIRTVS

IL SECONDO
LIBRO
DELL'ARCHITETTVRA
Di Andrea Palladio.
NELQVALE SI CONTENGONO I
difegni di molte cafe ordinate da lui
dentro, e fuori della Città,
ET I DISEGNI DELLE
cafe antiche de' Greci, & de' Latini.

IN VENETIA,
Appreffo Dominico de'
Francefchi.
1570.

A. Palladio — Frontespizio del Secondo de "I Quattro Libri dell'Architettura" *(Venezia, 1570)*.

E CASE della Città sono ueramente al Gentil'huomo di molto splendore, e
commodità, hauendo in esse ad habitare tutto quel tempo, che li bisognerà per la
amminiftratione della Republica, e gouerno delle cose proprie: Ma non minore
vtilità, e consolatione cauerà forse dalle case di Villa, doue il resto del tempo si
passerà in uedere, & ornare le sue possessioni, e con industria, & arte dell'Agricol-
tura accrescer le facultà, doue ancho per l'esercitio, che nella Villa si suol fare a
piedi,& à cauallo, il corpo più ageuolmente conseruerà la sua sanità, e robustezza, e doue finalmente
l'animo stanco delle agitationi della Città, prenderà molto ristauro, e consolatione, e quietamente
potrà attendere à gli studij delle lettere,& alla contemplatione; come per questo gli antichi Saui so-
leuano spesse uolte usare di ritirarsi in simili luoghi, oue uisitati da' vertuosi amici, e parenti loro, hauendo case, giardini, fontane, e simili luoghi sollazzeuoli, e sopra tutto la lor Vertù; poteuano facilmente conseguir quella beata uita, che quà giù si può ottenere. Per tanto hauendo con l'aiuto
del Signore Dio espedito di trattare delle case della Città; giusta cosa è che passiamo a quelle di Villa: nelle quali principalmente consiste, il negotio famigliare, e priuato. Ma auanti che à' disegni di
quelle si uenga; parmi molto à proposito ragionare del sito, ò luogo da eleggersi per esse fabriche, e
del compartimento di quelle: percioche non essendo noi (come nelle Città suole auenire) da i muri
publici, ò de' uicini fra certi, e determinati confini rinchiusi, è officio di saggio Architetto con ogni
sollicitudine, & opera inuestigare, e ricercare luogo commodo, e sano, standosi in Villa per lo più
nel tempo della Estate: nel quale ancora ne i luoghi molto sani i corpi nostri per il caldo s'indeboli-
scono,& ammalano. Primieramente adunque eleggerafsi luogo quanto fia possibile commodo al
le possessioni, e nel mezo di quelle: acciochè il padrone senza molta fatica possa scoprire, e meglio-
rare i suoi luoghi d'intorno, e i frutti di quelli possano acconciamente alla casa dominicale esser dal
lauoratore portati. Se si potrà fabricare sopra il fiume; sarà cosa molto commoda, e bella: percioche
e le entrate con poca spesa in ogni tempo si potranno nella Città condurre con le barche, e seruirà a
gli usi della casa, e de gli animali, oltra che apporterà molto fresco la Estate, e farà bellissima uista, e
con grandissima utilità,& ornamento si potranno adacquare le possessioni, i Giardini, e i Bruoli, che
sono l'anima, e diporto della Villa. Ma non si potendo hauer fiumi nauigabili; si cercherà di fabricare appresso altre acque correnti, allontanandosi sopra tutto dalle acque morte, e che non corrono:
perche generano aere cattiuissimo: ilche facilmente schiueremo, se fabricheremo in luoghi eleuati,
& allegri: cioè doue l'aere sia dal continuo spirar de' uenti mosso; e la terra per la scaduta sia da gli hu-
midi, e cattiui uapori purgata: onde gli habitatori sani,& allegri, e con buon colore si mantengano; e
non si senta la molestia delle Zenzale,& d'altri animaletti, che nascono dalla putrefattione dell'acque
morte, e paludose. E perche le acque sono necessariissime al uiuere humano, e secondo le uarie
qualita loro uarij effetti in noi producono; onde alcune generano milza, alcune gozzi, alcune il mal
di pietra,& alcun'altre altri mali; si userà grandissima diligéza, che uicino à quelle si fabrichi, le quali
non habbiano alcuno strano sapore, e di niun colore partecipino: ma siano limpide, chiare, e sottili, e
che sparse sopra un drappo bianco non lo macchino: perche questi saranno segni della bontà loro.
Molti modi da sperimentare se l'acque sono buone ci sono insegnati da Vitruuio: imperoche quel-
l'acqua è tenuta perfetta che fa buon pane, e nella quale i legumi presto si cuoceno, e quella, che bol-
lita non lascia feccia alcuna nel fondo del uaso. Sarà ottimo inditio della bontà dell'acqua, se doue
ella passerà non si uedrà il musco, nè ui nascerà il giunco: ma sarà il luogo netto, e bello con sabbia, ò
ghiara in fondo, e non sporco, o fangoso. Gli animali ancora in quelle soliti beuere daranno inditio
della bontà, e salubrità dell'acqua, se saranno gagliardi, forti, robusti, e grassi, e non macilenti, e deboli. Ma quanto alla salubrità dell'aere, oltra le sopradette cose; daranno inditio gli edificij antichi, se
non saranno corrosi, e guasti: se gli arbori saranno ben nodriti, belli, nó piegati in alcuna parte da' véti,
e non faráno di quelli, che nascono in luoghi paludosi. E se i sassi, ò le pietre in quei luoghi nate, nella parte di sopra non appareranno putrefatte:& ancho se'l color de gli huomini sarà naturale, e dimo-
strerà buona temperatura. Non si deue fabricar nelle Valli chiuse fra i monti: percioche gli edificij
tra le Valli nascosti, oltra che sono del ueder da lontano priuati, e dell'esser ueduti, & senza dignità, e
maestà alcuna; sono del tutto contrarij alla sanità: perche dalle pioggie, che ui concorrono fatta pre-
gna la terra; manda fuori uapori à gli ingegni,& a i corpi pestiferi; essendo da quelli gli spiriti inde-
boliti, e macerate le congiunture,& i nerui: e ciò che ne' granari si riporrà per lo troppo humido cor-
romperafsi. Oltra di ciò se u'entrerà il Sole per la riflesione de' raggi; ui saranno eccessiui caldi; e

fe non u'entrera per l'ombra continua diuenteranno le perfone come ftupide, e di cattiuo colore. I uenti ancora fe in dette ualli entreranno, come per canali riftretti troppo furore apporterannó, e fe non ui foffieranno; l'aere iui amaffato diuentera denfo, e mal fano. Facendo di meftieri fabricare nel monte; eleggafi un fito, che à temperata regione del Cielo fia riuolto, e che nè da monti maggiori habbia continua ombra, nè per lo percuoter del Sole in qualche rupe uicina quafi di due Soli fenta l'ardore: perche nell'vno, e nell'altro cafo farà pefsimo l'habitarui. E finalmente nell'eleggere il fito per la fabrica di Villa tutte quelle confiderationi fi deono hauere, che fi hanno nell'eleggere il fito per le Città: conciofiache la Città non fia altro che una certa cafa grande, e per lo contrario la cafa yna città picciola.

DEL COMPARTIMENTO DELLE CASE
di Villa.   Cap. XIII.

RITROVATO il fito lieto, ameno, commodo, e fano fi attenderà all'elegante, e commoda compartition fua. Due forti di fabriche fi richiedono nella Villa: l'vna per l'habitatione del Padrone, e della fua famiglia: l'altra per gouernare, e cuftodire l'entrate, & gli animali della Villa. Però fi dourà compartire il fito in modo che nè quella à quefta, nè quefta à quella fia di impedimento. L'habitatione del padrone deue effer fatta, hauendo rifguardo alla fua famiglia, e conditione, e fi fà come fi ufa nelle Città, e ne habbiamo di fopra trattato. I coperti per le cofe di Villa fi faranno hauendo rifpetto alle entrate, & à gli animali, & in modo congiunti alla cafa del padrone, che in ogni luogo fi poffa andare al coperto: acciò che nè le pioggie, nè gli ardenti Soli della State li fiano di noia nell'andare à uedere i negotij fuoi: il che farà ancho di grandifsima vtilità per riporre al coperto legnami, & infinite altre cofe della Villa, che fi guafterebbono per le pioggie, e per il Sole: oltra che quefti portici apportano molto ornamento. Si rifguarderà ad allogare commodamente, e fenza ftrettezza alcuna gli huomini all'vfo della Villa applicati, gli animali, le entrate, e gli iftrumenti. Le ftanze del Fattore, del Gaftaldo, e de' lauoratori deono effere in luogo accommodato, e pronto alle porte, & alla cuftodia di tutte l'altre parti. Le ftalle per gli animali da lauoro, come buoi, e cauali deono effer difcofte dall'habitatione del Padrone, accioche da quella fiano lontani i letami: e fi porranno in luoghi molto caldi, e chiari. I luoghi per gli animali, che fruttano, come fono porci, pecore, colombi, pollami, e fimili, fi collocheranno fecondo le qualità, e nature loro: & in quefto fi deuerà auertire quello, che in diuerfi paefi fi coftuma. Le Cantine fi deono fare fottoterra, rinchiufe, lontane da ogni ftrepito, e da ogni humore, e fettore, e deono hauere il lume da Leuante, ouero da Settentrione: percioche hauendolo da altra parte, oue il Sole poffa fcaldare; i uini, che ui fi porranno dal calore rifcaldati; diuenteranno deboli, e fi guafteranno. Si faranno alquanto pendenti al mezo, e c'habbiano il fuolo di terrazzo, ouero fiano laftricate in modo, che fpandendofi il uino; poffa effer raccolto. I tinacci, doue bolle il uino fi riporranno fotto i coperti, che fi faranno appreffo dette cantine, e tanto eleuati, che le loro fpine fiano alquanto più alte del buco fuperior della Botte; accioche ageuolmente per maniche di coro, ò canali di legno fi poffa il uino di detti Tinacci mandar nelle botti. I Granari deono hauere il lume uerfo Tramontana: perche à quefto modo i grani non potranno cofi prefto rifcaldarfi: ma dal uento raffreddati; lungamente fi conferueranno, e non ui nafceranno quegli animaletti, che ui fanno grandifsimo nocumento. Il fuolo, ò pauimento loro deue effere di terrazzato, potendofi hauere, ò almeno di tauole: perche per il toccar della calce il grano fi guafta. L'altre faluarobe ancora per le dette cagioni alla medefima parte del cielo deono rifguardare. Le Teggie per li fieni guarderanno al Mezogiorno, ouer al Ponente: perche dal calore del Sole feccati non farà pericolo, che fi fobbollifcano, & accendano. Gli inftrumenti, che bifognano à gli Agricoltori, fiano in luoghi accommodati fotto il coperto a Mezodì. L'Ara doue fi trebbia il grano deue effer efpofta al Sole, fpatiofa, & ampia, battuta, & alquanto colma nel mezo; & intorno, ò almeno da una parte hauere i portici: acciòche nelle repentine pioggie fi poffano i grani condurre prefto al coperto: e non farà troppo uicina alla cafa del Padrone per la poluere; ne tanto lontana, che non poffa effer ueduta. E tanto bafti hauer detto in uniuerfale dell'elettione de' fiti, e del compartimento loro. Refta, che (come io ho promeffo) io ponga i difegni di alcune fabriche, che fecondo diuerfe inuentioni ho ordinate in Villa.

A. Palladio — "Del sito" e "del compartimento" - Suggerimenti per chi intende costruire una Villa
(da "I Quattro Libri").

LE VILLE

Schede ed illustrazioni
Beschreibung und Abbildungen
Fiches et illustrations
Description and tables

VILLA GODI , MALINVERNI
Lonedo di Lugo Vicentino (Vicenza)

Progettata presumibilmente nel 1537 e realizzata negli anni 1540-42, questa Villa rappresenta la prima opera di consistente impegno affrontata dal Palladio. Contrariamente a quanto si rileva nelle altre opere palladiane, il settore centrale è rientrante, anzichè aggettante, rispetto ai fianchi; secondo la tipica moda del "portego" veneziano, la loggia è aperta verso l'esterno da tre ampi fornici al centrale dei quali si accede mediante ripida scala.
Notevole la scelta del luogo — non elevato, ma assai dominante — e lo studio dell'insieme in rapporto all'ambiente.

Wahrscheinlich 1537 geplant und in den Jahren von 1540 bis 1542 gebaut ist diese Villa das erste größere und zusammenhängende Werk Palladios.
Im Gegensatz zu den anderen Werken Palladios ist hier jedoch der Mittelteil gegenüber den Seitenteilen nicht hervor-, sonder zurücktretend. Entsprechend der typisch venezianischn Mode des "Pòrtegos" ist der Freisitz mit drei weitläufigen Bögen in der Mitte nach außen offen und durch eine steile Freitreppe zu erreichen.
Beachtlich ist die Platzwahl, nicht hoch und dennoch beherrschend, und der im Verhältnis zur Natur einheitliche Entwurf.

Projétée probablement en 1537 et réalisée dans les années 1540-42, cette Villa représente la première oeuvre importante de Palladio.
Contrairement à ce que l'on relève dans ses autres oeuvres, le corps central de cette Villa est rentrant et non pas saillant par rapport aux parties latérales; selon la mode typique du "portego" (portique) vénitien, la loggia s'ouvre à l'extérieur par trois amples arcades: on accède à l'arcade centrale par un raide escalier.
Le choix de l'emplacement, non élevé, mais très dominant, et l'étude de l'ensemble par rapport au milieu ambiant sont en particulier remarquables.

Probably designed in 1537 and completed in the years 1540-42, this Villa is the first work of any considerable importance undertaken by Palladio.
Although remarkably sober and robust in character, the building already presents certain aspects that were to be developed later in Palladio's subsequent work. The choice of site — a commanding even if not hill-top position — and the correlation of the whole to the setting are especially noteworthy.

Villa Godi, Malinverni

VILLA GODI, MALINVERNI
Loggia

Contrariamente a quanto si rileva sulle altre opere palladiane, il settore centrale di questa Villa è rientrante, anzichè aggettante, rispetto ai fianchi del prospetto principale.
Secondo la tipica moda del "pórtego" veneziano, la loggia è aperta verso l'esterno da tre ampi fornici al centrale dei quali si accede mediante ripida scala.
Così come tutte le sale del piano nobile, anche la loggia è completamente affrescata: i dipinti sono qui opera di Gualtiero Padovano.

Im Gegensatz zu den anderen Bauwerken Palladios ist der mittlere Teil der Schauseite dieser Villa nicht hervortretend, sondern zurückversetzt.
Entsprechend der typisch venezianischen Pórtego-Mode gibt sich der Freisitz nach außen durch drei großzügige Bögen, zu denen man über eine steile Freitreppe gelangt.
Wie alle Gemächer des Hauptgeschosses ist auch der Freisitz ganz mit Fresken von Hand eines Gualtiero Padovano ausgeschmückt.

Contrairement à ce que l'on relève dans les autres oeuvres de Palladio, le secteur central de cette Villa est rentrant — et non pas saillant — par rapport aux parties latérales de la façade principale.
Selon la mode typique du "portego" (portique) vénitien, la loggia est ouverte à l'extérieur par trois amples arcades; on accède à l'arcade centrale par un raide escalier.
Comme toutes les salles du premier étage, la loggia aussi est complètement décorée de fresques: les tableaux sont ici l'oeuvre de Gualtiero Padovano.

Although built with the typical three-part façade, Villa Godi is unlike other Palladian villas as the central section recedes into the block instead of projecting from the wings.
In typical Venetian "portego" style (a central salon that traverses the entire house), the villa has an open loggia composed of three wide bays with a steep external staircase leading to the central one.
Like all the rooms on the "piano nobile", also the loggia is completely decorated with frescoes, the work of Gualtiero Padovano.

72

Villa Godi, Malinverni
Loggia

VILLA GODI, MALINVERNI
Salone centrale / Mittelsaal / Salon central / Central salon

Il grande vano, affrescato da Giambattista Zelotti, presenta al centro dei lati lunghi due notevoli scene di battaglia, nelle altre pareti scene mitologiche ed a fianco dei grandi affreschi splendidi paesaggi. Il tutto è incorniciato da vistose architetture, da trofei e da ricche decorazioni.

Der große von Giambattista Zelotti mit Fresken ausgemalte Saal zeigt in der Mitte der Langseiten zwei bemerkenswerte Schlachtenszenen. An den anderen Wänden können wir von herrlichen Landschaftsbildern flankierte Szenen aus der Mythologie bewundern.
Das Ganze ist eingerahmt von auffälligen Bauwerken, Trophäen und einer reichen Verzierung.

La grande pièce décorée de fresques par Giambattista Zelotti, présente au centre des cloisons les plus longues deux remarquables scènes de bataille; sur les autres murs des scènes mythologiques et, de part et d'autre des grandes fresques, de splendides paysages. Le tout est encadré par des architectures voyantes, trophées et riches décorations.

The frescoes in the large salon are by Giambattista Zelotti: the centre ones on the long sides present two remarkable battle scenes and those on the other two walls mythological scenes, all flanked by huge frescoes depicting splendid landscapes. The whole is framed with exuberant architecture, trophies and rich decoration.

Villa Godi, Malinverni
Salone centrale / Mittelsaal / Salon central / Central salon

VILLA GODI, MALINVERNI

Sala delle Arti / Saal der Künste / Salon des Arts / The Room of the Arts

Anche questa sala è affrescata da Giambattista Zelotti che qui raggiunge alcuni tra i suoi spunti migliori. La trama della decorazione è ricca ed intensa: da essa emergono figure allegoriche dipinte in monocromo in finte nicchie, dame, putti, imperatori, trofei.
Al Centro della parete ad ovest campeggia uno splendido, poetico paesaggio.

Auch die Fresken in diesem Saal sind von Giambattista Zelotti, der hier wohl in einigen Momenten das Höchste seiner Kunst zum Ausdruck bringt. Das Ränkespiel der Ausschmückung gibt sich reich und eindringlich: monochrome allegorische Gestalten in illusionistischen Nischen, Hofdamen, Putten, Cäsaren und Waffenverzierungen scheinen aus der Wand hervorzutreten.
In der Mitte der westlichen Wand dominiert eine herrliche poetische Landschaft.

Ce salon aussi est décoré de fresques de Giambattista Zelotti, qui atteint ici quelques-uns de ses meilleurs moments. La trame de la décoration est riche et intense; Il en émerge des personnages allégoriques peints en monochrome dans de fausses niches: dames, putti, empereurs, trophées.
Un paysage splendide et très poétique domine le centre de la paroi ouest.

Also this room is frescoed by Giambattista Zelotti who here created some of his greatest works. The pictorial design is rich and intricate, portraying allegorical figures painted in monochrome in "trompe l'oeil" niches, ladies, "putti", emperors and trophies.
A splendid poetic landscape dominates the centre of the west wall.

76

Villa Godi, Malinverni
Sala delle Arti / Saal der Künste / Salon des Arts / The Room of the Arts

IN LONEDO luogo del Vicentino è la feguente fabrica del Signor Girolamo de' Godi pofta fopra vn colle di bellifsima uifta,& a canto un fiume,che ferue per Pefchiera. Per rendere quefto
fito commodo per l'vfo di Villa ui fono ftati fatti cortili, & ftrade fopra uolti con non picciola fpefa.
La fabrica di mezo è per l'habitatione del padrone,& della famiglia. Le ftanze del padrone hanno
il piano loro alto da terra tredici piedi,e fono in folaro, fopra quefte ui fono i granari, & nella parte di
fotto, cioè nell'altezza de i tredeci piedi ui fono difpofte le cantine,i luoghi da fare i uini, la cucina,
& altri luoghi fimili. La Sala giugne con la fua altezza fin fotto il tetto, & ha due ordini di feneftre.
Dall'vno e l'altro lato di quefto corpo di fabrica ui fono i cortili, & i coperti per le cofe di Villa. E'
ftata quefta fabrica ornata di pitture di bellifsima inuention da Meffer Gualtiero Padouano,da Mef
fer Battifta del Moro Veronefe, & da Meffer Battifta Venetiano; perche quefto Gentil'huomo, ilquale è giudiciofifsimo, per redurla a quella eccellenza & perfettione,che fia pofsibile; non ha guar
dato a fpefa alcuna,& ha fcelto i più fingolari,& eccellenti Pittori de' noftri tempi.

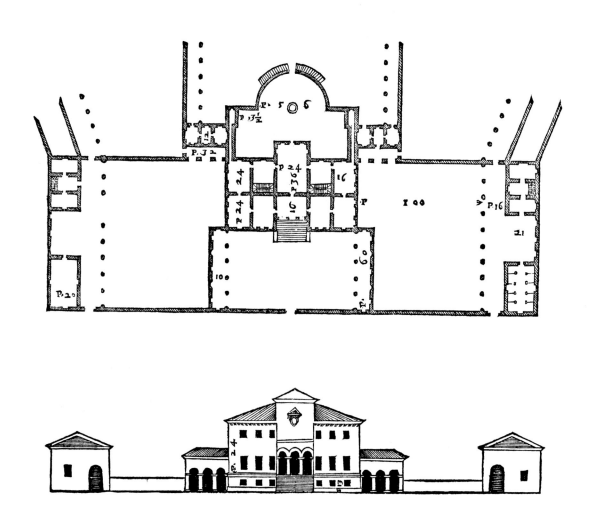

A. Palladio — Descrizione, pianta e alzato di Villa Godi a Lonedo di Lugo Vicentino *(da "I Quattro
Libri")*.

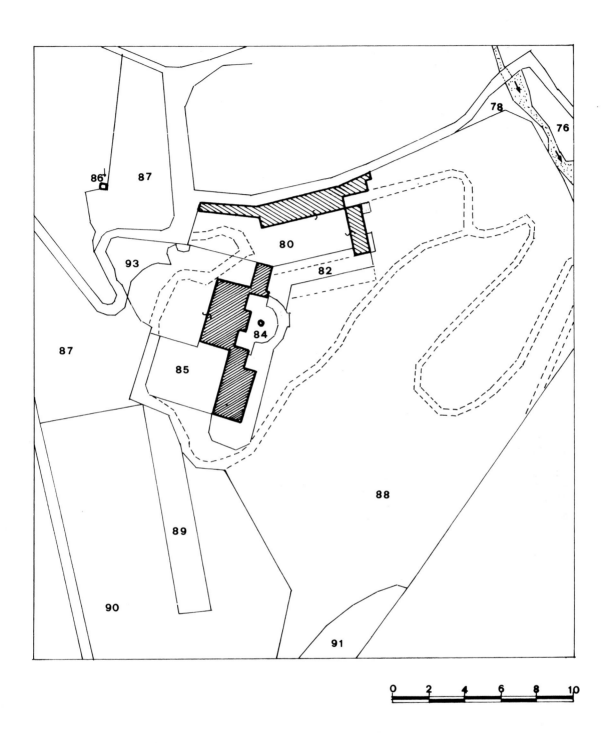

Comune di Lugo Vicentino - frazione Lonedo - Sezione A - Foglio V.

VILLA GAZZOTTI, CURTI
Vicenza, Bertesina

Quanto effettivamente realizzato in questa Villa rappresenta solo una parte modesta dell'ambizioso progetto steso dal Palladio intorno al 1542; pur nel limitato contesto, tuttavia, è chiaramente avvertibile lo sviluppo di nuovi temi quali, ad esempio, i frontoni e le lesene di ordine composito che scandiscono il prospetto.

Was von diesem Bauwerk tatsächlich verwirklicht wurde, stellt nur einen höchst bescheidenen Teil des von Palladio um 1542 entworfenen anspruchsvollen Plans dar. Dennoch gehen auch aus dem beschränkten Kontext klare Ansätze zu neuen Themen hervor, wie z.B. der Giebel und die Lisenen kompositer Ordnung, die die Schauseite aufgliedern.

Tout ce qui a été effectivement réalisé dans cette Villa ne représente qu'une modeste partie de l'ambitieux projet conçu par Palladio vers 1542; même dans un contexte limité comme celui-ci, il est tout de même aisé de remarquer le développement de nouveaux thèmes, tels que, par exemple, les frontons et les pilastres d'ordre composite qui soulignent la façade.

This Villa remained unfinished and what we see today is only a small part of the ambitious project Palladio drew up about 1542. Despite this, however, we can clearly discern the development of new features such as the pediments and Composite order pilaster-strips that adorn the façade.

Villa Gazzotti, Curti

81

VILLA GAZZOTTI, CURTI

Per il fatto di non essere pubblicata ne "I Quattro Libri dell'Architettura" questa Villa venne spesso espunta dalle opere del Palladio nonostante gli eccezionali, palesi valori stilistici. Ogni dubbio è però caduto col rinvenimento (1952), nella Raccolta R.I.B.A. (Royal Institute of British Architects) di Londra, di alcuni fogli autografi riportanti gli elementi progettuali di un edificio pressoché identico.

Auf Grund der Tatsache, daß sie nicht in "I Quattro Libri dell'Architettura" veröffentlicht wurde, zählte man diese Villa trotz der außerordentlichen stilistischen Werte meistens nicht zu den Werken Palladios. Alle Zweifel wurden jedoch mit der Entdeckung einiger Originalfolien im Jahre 1952 in der Sammlung R.I.B.A. (Royal Institut of British Architects) in London verflüchtigt, auf denen der Entwurf eines fast gleichartigen Bauwerks wiedergegeben ist.

N'ayant pas été publiée dans "Les Quatre Livres de l'Architecture" cette Villa ne fut pas attribuée à Palladio malgré les extraordinaires et évidentes valeurs de style. Tous les doutes sont cependant tombés lors de la découverte (1952) dans le Recueil R.I.B.A. (Royal Institute of British Architects) de Londres, de quelques feuilles autographes contenant les éléments du projet d'un édifice presque identique.

Because of its not being mentioned in "I Quattro Libri dell'Architettura" this Villa was often expunged from the works of Palladio in spite of its obvious exceptional stylistic value. All doubts were, however, cleared with the discovery (1952) in the R.I.B.A. Collection (Royal Institute of British Architects) London, of some autographic papers quoting the elements of the plan for a more or less identical building.

82

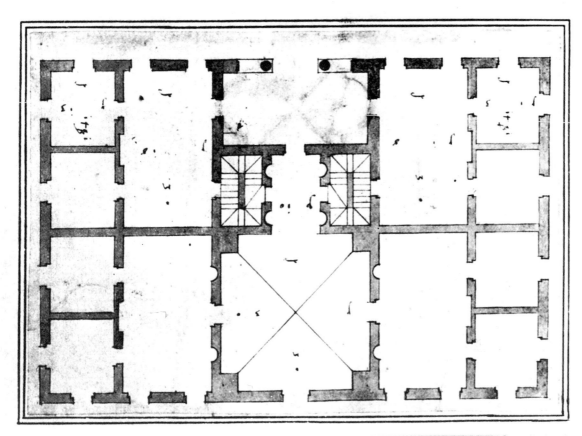

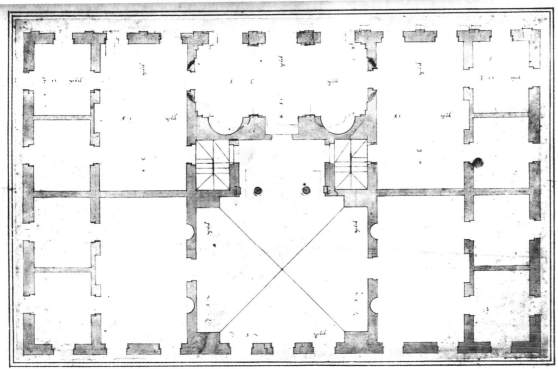

A. Palladio — Piante di Villa *(Racc. R.I.B.A. - Londra: Vol. XVI, Foglio 18 e Vol. XVII, Foglio 27).*

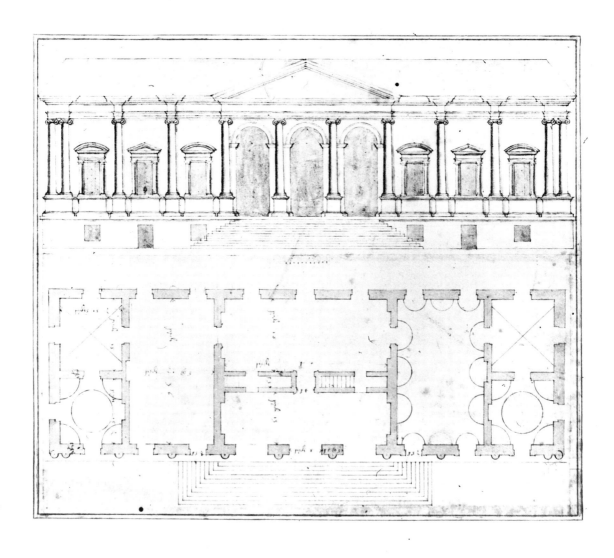

A. Palladio — Alzato e pianta di Villa *(Racc. R.I.B.A. - Londra: Vol. XVI, Foglio 16).*

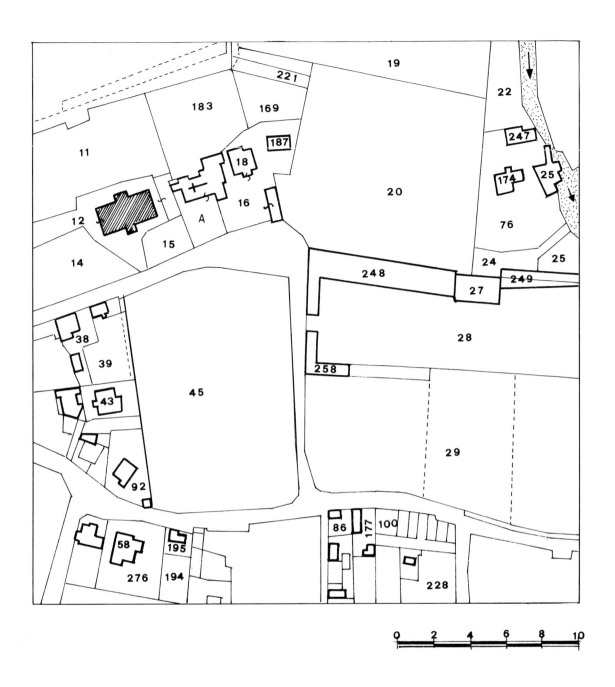

Comune di Vicenza - Frazione Bertesina - Sezione L - Foglio XIII.

85

VILLA PISANI, FERRI
Bagnolo di Lonigo (Vicenza)

Con questa Villa, progettata forse nel 1541 e già realizzata nel 1544, Andrea Palladio inizia il fecondo rapporto con la ricca nobiltà veneziana.
La fotografia mostra il prospetto principale, rivolto ad oriente, contrassegnato da due torri che racchiudono al centro il motivo ormai tradizionale dei tre fornici sormontati da ampio frontone. Proprio nel settore centrale, cui si accede da una gradinata a forma circolare, è avvertibile il momento più vibrante di tutto l'insieme; ciò, soprattutto per il forte effetto chiaroscurale ottenuto con l'uso del bugnato rustico.

Mit dem Bau dieser Villa, wahrscheinlich 1541 entworfen und schon 1544 gebaut, beginnt Andrea Palladio seine fruchtbare Beziehung zum reichen Adel Venedigs.
Die Abbildung zeigt die nach Osten blickende Schauseite mit den beiden seitlichen Türmen, die das nunmehr traditionelle Motiv der drei mit einem großartigen Giebel überdachten Bögen einrahmen. Gerade dieser Mittelteil, der über eine halbkreisförmige Freitreppe zu erreichen ist, vermittelt vor allem durch das Spiel von Licht- und Schattenmassen des rustikalen Bossenwerks den imposanten Gesamteindruck des Bauwerks.

Avec cette Villa, projetée peut-être en 1541 et déjà terminée en 1544, commence pour Andrea Palladio un rapport très fécond avec la riche noblesse vénitienne.
La photo montre la façade principale, orientée à l'est, marquée par deux tours qui encadrent au centre l'élément désormais traditionnel des trois arcades, surmontées d'un large fronton. C'est justement dans la partie centrale, à laquelle on accède par un perron de forme circulaire, que l'on saisit l'intense emotion de tout l'ensemble, grâce surtout à l'effet de clair-obscur obtenu par l'emploi du bossage rustique.

With this Villa, probably designed in 1541 and already completed in 1544, Andrea Palladio began his fruitful relationship with the rich Venetian nobility.
The photograph shows the main façade facing east with two towers flanking the central portion that contains the already traditional feature of three arched bays surmounted by a wide pediment. It is in this central section which is reached by a circular-shaped flight of steps that the most exciting feature of the whole villa can be seen: that is the strong chiaroscuro effect obtained through the use of rustication.

Villa Pisani, Ferri

87

VILLA PISANI, FERRI

Il prospetto rivolto ad occidente presenta caratteri più semplici e più pacati rispetto a quelli dell'opposta facciata. Purtroppo non fu mai realizzato il previsto pronao, ed i motivi principali sono ora rappresentati dallo zoccolo di base con fori incorniciati da bugne, dalla grande finestra termale e dal cornicione dentellato.

Die nach Westen gerichtete Schauseite ist gegenüber der östlichen Fassade wesentlich einfacher und klarer. Leider wurde die im Plan vorgesehene Vorhalle nicht verwirklicht und die wichtigsten Motive werden durch den Sockel mit seinen von Rustikaquadern eingerahmten Fenstern, dem großen Thermalfenster und dem Kranzgesims dargestellt.

La façade tournée à l'ouest présente des caractères plus simples et plus paisibles par rapport à ceux de la façade opposée. Malheureusement le pronaos ne fut jamais réalisé et les décors principaux sont maintenant limités au socle à ouvertures encadrées par des bossages, à la grande fenêtre thermale et à la corniche dentelée.

The west façade is simpler and quieter in tone. Unfortunately, the planned pronaos was never added: the outstanding features are the plinth where all the openings have rusticated frames, the large thermal window and the denticulate cornice.

Villa Pisani, Ferri

VILLA PISANI, FERRI

Soffitto della sala a crociera / Decke des Kreuzsaals / Plafond de la salle croisée / Ceiling in the cross-vaulted salon

La Villa presenta il motivo di maggior interesse nel nucleo centrale costituito da un ampio vano crociato. I risultati qui raggiunti dal Palladio sono di eccezionale monumentalità.
La decorazione ad affresco, elegante e ben calibrata nei toni, è dovuta a sconosciuto pittore del secondo Cinquecento.

Die Villa ist vor allem in Mittelteil mit dem großzügigen Kreuzsaal von großem Interesse. Palladio erzielt hier eine Monumentalität ohnegleichen.
Die schönen, farbig höchst ausgeglichenen Fresken sind von Hand eines unbekannten Künstlers aus der zweiten Hälfte des Cinquecento.

L'aspect le plus intéressant de la villa se trouve dans le noyau central constitué par une simple salle croisée. Les résultats atteints ici par Palladio sont exceptionnellement imposants.
La décoration à fresques, élégante et bien calibrée dans les tons, est due à un peintre inconnu de la deuxième moitié du XVIe siècle.

The most interesting feature of the Villa is to be found in the central portion consisting in a large cross-vaulted salon. Here Palladio achieved an exceptional monumental effect.
The frescoes that decorate it are elegant and measured in tone, the worf of an unknown sixteenth century painter.

Villa Pisani, Ferri
Soffitto della sala a crociera / Decke des Kreuzsaals / Plafond de la salle croisée /
Ceiling in the cross-vaulted salon

DE I DISEGNI DELLE CASE DI VILLA DI ALCVNI
nobili Venetiani.   Cap. XIIII.

A FABRICA, che fegue è in Bagnolo luogo due miglia lontano da Lonigo Ca
ftello del Vicentino, & è de' Magnifici Signori Conti Vittore, Marco, e Daniele fra
telli de' Pifani. Dall'vna, e l'altra parte del cortile ui fono le ftalle, le cantine, i gra
nari, e fimili altri luoghi per l'ufo della Villa. Le colonne de i portici fono di ordine Dorico. La parte di mezo di quefta fabrica è per l'habitatione del Padrone: il
pauimento delle prime ftanze è alto da terra fette piedi: fotto ui fono le cucine, &
altri fimili luoghi per la famiglia. La Sala è in uolto alta quanto larga, e la metà più: à quefta altezza
giugne ancho il uolto delle loggie: Le ftanze fono in folaro alte quanto larghe: le maggiori fono lun
ghe un quadro e due terzi: le altre un quadro e mezo. Et è da auertirfi che non fi ha hauuto molta
confideratione nel metter le fcale minori in luogo, che habbiano lume uiuo (come habbiamo ricor-
dato nel primo libro) perche non hauendo effe à feruire, fe non à i luoghi di fotto, & à quelli di fopra,
i quali feruono per granari ouer mezati; fi ha hauuto rifguardo principalmente ad accommodar bene l'ordine di mezo: il quale è per l'habitatione del Padrone, e de' foreftieri: e le Scale, che à queft'or
dine portano; fono pofte in luogo attifsimo, come fi uede ne i difegni. E ciò farà detto ancho per
auertenza del prudente lettore per tutte le altre fabriche feguenti di un'ordine folo: percioche in
quelle, che ne hanno due belli, & ornati; ho curato che le Scale fiano lucide, e pofte in luoghi commo
di: e dico due; perche quello, che uà fotto terra per le cantine, e fimili ufi, e quello che uà nella parte
di fopra, e ferue per granari, e mezati non chiamo ordine principale, per non darfi all'habitatione de'
Gentil'huomini.

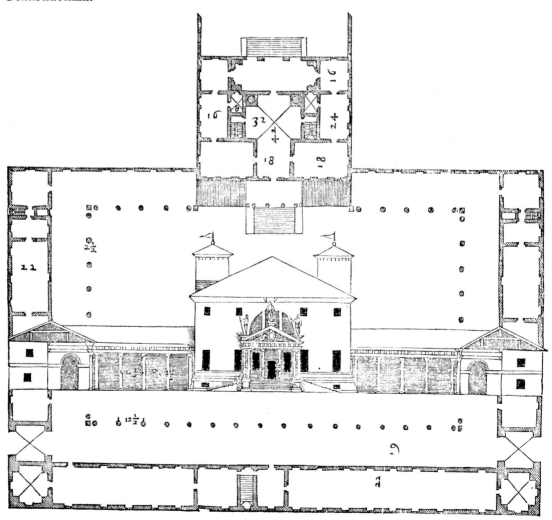

A. Palladio — Descrizione, pianta e alzato di Villa Pisani a Bagnolo di Lonigo *(da "I Quattro Libri")*.

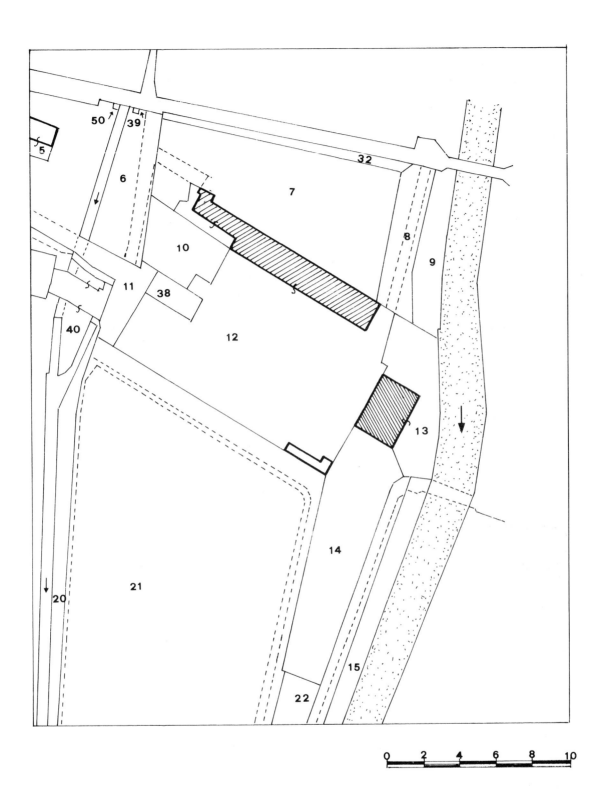

Comune di Lonigo - Frazione Bagnolo - Sezione C - Foglio II.

93

VILLA SARACENO
Finale di Agugliaro (Vicenza)

Vista attualmente, questa Villa è ben diversa da come l'aveva progettata il Palladio intorno al 1545: le due grandi ali disposte a gomito non furono infatti mai realizzate, e secolare trascuratezza ha generato modifiche e danni cui si è posto coraggioso ma parziale rimedio solo di recente.
La Villa ripropone il motivo dei tre fornici inseriti nel corpo mediano di poco aggettante rispetto ai fianchi. Questi sono trattati con estrema semplicità onde conferire spicco e vigore all'episodio centrale.
Nella loggia, nella sala centrale e nella stanza ad ovest esistono affreschi di ignoto pittore del tardo Cinquecento.

So, wie sie sich heute vorstellt, hat diese Villa ein gänzlich anderes Aussehen als das von Palladio um 1554 entworfene.
Die beiden rechtwinklig zugeordneten Seitenflügel wurden in der Tat nicht verwirklicht, und eine jahrhundertlange Vernachlässigung hat Veränderungen und Schäden hinterlassen, denen man erst in letzter Zeit zwar mutig, aber nur teilweise zu Leibe gerückt ist.
Die Villa stellt erneut das Dreibogenmotiv im leicht hervortretenden Mittelteil vor. Die Seitenflügel sind extrem einfach gehalten, damit der kraftvolle Mittelteil entsprechend gewürdigt wird.
Der Freisitz, der Mittelsaal und die nach Westen gerichteten Gemächer sind mit Fresken unbekannter Meister aus dem späten Cinquecento ausgeschmückt.

Vue actuellement cette Villa est bien différente de celle que Palladio avait projetée vers 1545: les deux grandes ailes incurvées ne furent en effet jamais réalisées et une négligence qui a duré des siècles a engendré des modifications et des dégâts contre lesquels on n'est intervenu que récemment, y apportant un remède courageux mais partiel.
La Villa propose à nouveau le décor des trois arcades dont les parties latérales, insérées dans le corps médian, légèrement en saillie, sont traitées avec une simplicité extrême pour mettre en valeur l'épisode central.
Dans la loggia, dans la salle centrale et dans le salon Ouest, on trouve des fresques d'un peintre inconnu de la fin du XVIe siècle.

As it is seen today this Villa is very different from how Palladio planned it in about 1545: the two L-shaped wings were, in fact, never constructed and long neglect has brought about changes and damage. Recently there has been a courageous but only partly successful attempt to repair the damage.
The three-bayed central portion projects slightly from the flanking wings. These are very simple to give relief and greater vigour to the central section. The loggia, the central salon and the room to the west are frescoed by an unknown late sixteenth century painter.

94

Villa Saraceno

DE I DISEGNI DELLE CASE DI VILLA DI ALCVNI
Gentil'huomini di Terra Ferma.   Cap. XV.

D VN luogo del Vicentino detto il FINALE, è la seguente fabrica del Signor Biagio Sarraceno : il piano delle stanze s'alza da terra cinque piedi : le stanze maggiori sono lunghe vn quadro, e cinque ottaui, & alte quanto larghe, e sono in solaro. Continua questa altezza ancho nella Sala : i camerini appresso la loggia sono in uolto : la altezza de' uolti al pari di quella delle stanze : di sotto vi sono le Cantine, e di sopra il Granaro : il quale occupa tutto il corpo della casa. Le cucine sono fuori di quella : ma però congiunte in modo che riescono commode. Dall'vna, e l'altra parte ui sono i luoghi all'vso di Villa necessarij.

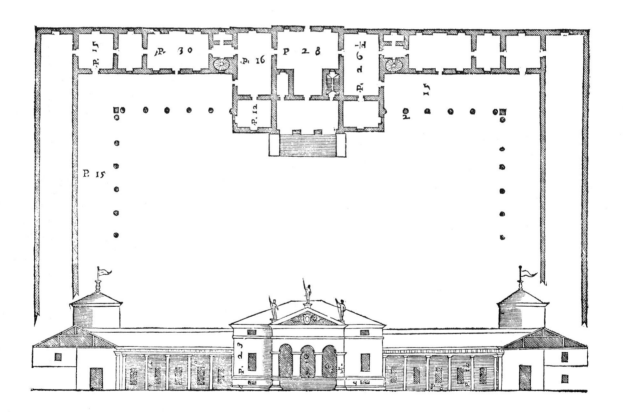

A. Palladio — Descrizione, pianta e alzato di Villa Saraceno a Finale di Agugliaro *(da "I Quattro Libri")*.

96

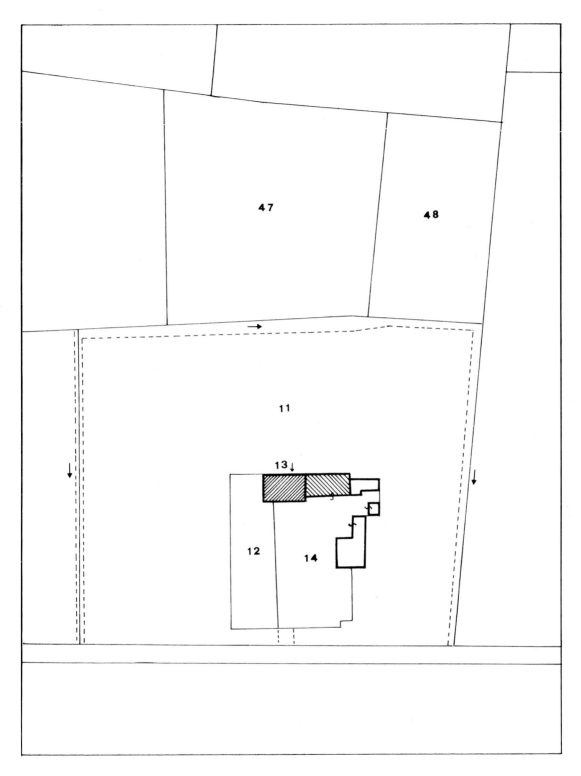

47

48

11

13↓

12 14

0   2   4   6   8   10

Comune di Agugliaro - Frazione Finale - Sezione B - Foglio VII.

VILLA CALDOGNO, NORDERA
Caldogno (Vicenza)

Progettata intorno al 1545 e completata prima del 1570, questa Villa mutua alcuni elementi delle Ville Pisani e Saraceno precedentemente esaminate; il tutto, però, esprime una soluzione sostanzialmente diversa, e quindi autonoma.
Particolarmente ricca la decorazione pittorica che si sviluppa all'interno — nella loggia, nel salone centrale e nelle tre stanze ad ovest — con mirabili affreschi di Gianantonio Fasolo, Giulio Carpioni e Giambattista Zelotti. Degno di estremo interesse il ciclo dipinto dal Fasolo nel salone centrale.

Um 1545 entworfen und noch vor dem Jahre 1570 fertiggestellt, hat diese Villa gegenüber den zuvor erwähnten Villen Pisani und Saraceno nur leichte Abänderungen aufzuweisen; im Ganzen gesehen ist der Eindruck jedoch grundlegend andersartig und die Villa erhält somit ein eigenständiges Aussehen.
Besonders reich ist die Ausschmückung der Innenräume — der Loggia, des Mittelsaals und der drei östlichen Gemächer — wo Fresken von Gianantonio Fasolo, Giulio Carpioni und Giambattista Zelotti zu bewundern sind. Ganz besonderes Interesse gebührt dem im Mittelsaal von Fasolo gemalten Freskenzyklus.

Projetée aux alentours de 1545 et terminée avant 1570, cette Villa emprunte quelques éléments des Villas Pisani et Saraceno examinées précédemment; mais elle offre une solution tout à fait différente et donc autonome. Particulièrement riche la décoration picturale qui se développe à l'intérieur — dans la loggia, dans le salon central et dans les salles à l'ouest — avec des fresques admirables de Gianantonio Fasolo, Giulio Carpioni et Giambattista Zelotti. Digne d'un intérêt extrême le cycle peint par Fasolo dans le salon central.

Designed about 1545 and completed before 1570, this Villa modifies some elements of the Villas Pisani and Saraceno that have been previously considered. However, everything is integrated in a completely different way and is, therefore, individual.
The pictorial decoration inside — in the loggia, the central salon and in the three rooms to the west — are particularly rich with beautiful frescoes by Gianantonio Fasolo, Giulio Carpioni and Giambattista Zelotti. The cycle painted by Fasolo in the central salon is of great interest.

Villa Caldogno, Nordera

VILLA CALDOGNO, NORDERA

Così come la Gazzotti di Bertesina, anche questa Villa non è citata ne "I Quattro Libri dell'Architettura". Ciò ha creato in passato non poche perplessità, ma la critica ufficiale è ora universalmente e decisamente orientata ad accogliere quest'opera nel regesto palladiano; d'esser degna di paternità così illustre, del resto, la Villa lo dimostra in ogni sua parte a dispetto di errori e modifiche certo non imputabili al Maestro.

Wie die Villa Gazzotti in Bertesina ist auch diese Villa nicht in "I Quattro Libri dell'Architettura" angegeben. Diese Tatsache hat in der Vergangenheit erhebliche Unschlüssigkeiten hervorgerufen. Die Kritik ist sich heute jedoch einig und entschlossen, dieses Bauwerk in die palladianischen Regesten aufzunehmen. Daß sie einer derartig glänzenden Vaterschaft würdig ist, beweist die Villa andererseits in jeder Hinsicht und allen Fehlern und Umänderungen zum Trotz, die mit Sicherheit nicht auf den Meister zurückzuführen sind.

Comme la Villa Gazzotti de Bertesina, cette Villa non plus n'est pas citée dans "Les Quatre Livres de l'Architecture" Cela a fait naître par le passé beaucoup de doutes mais la critique officielle est unanimement et décidément orientée à l'attribuer à Palladio; elle montre d'ailleurs dans chaque partie d'être digne d'une paternité si illustre malgré les modifications et les erreurs qui ne sont certainement pas dues au Maître.

Like Villa Gazzotti of Bertesina, this Villa is not mentioned in "I Quattro Libri dell'Architettura". This fact caused much perplexity in the past, but the official criticism is now universally and decidedly oriented towards including this work of art among the Palladian regest. The Villa, moreover, shows in every part of it to merit such illustrious paternity despite the errors and modifications which can certainly not be blamed on the master.

100

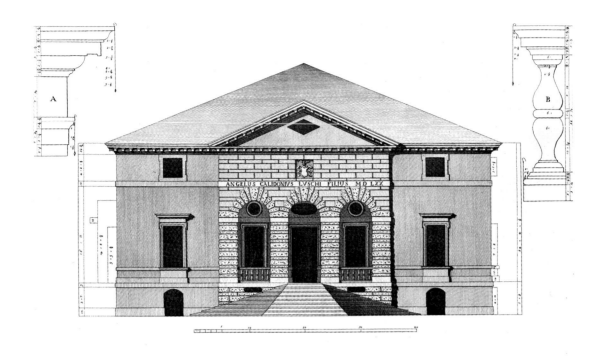

ANGELVS CALIDONIVS LVSCHI FILIVS MD LXX

Caldogno - Villa Caldogno: Prospetto *(da O. Bertotti Scamozzi).*

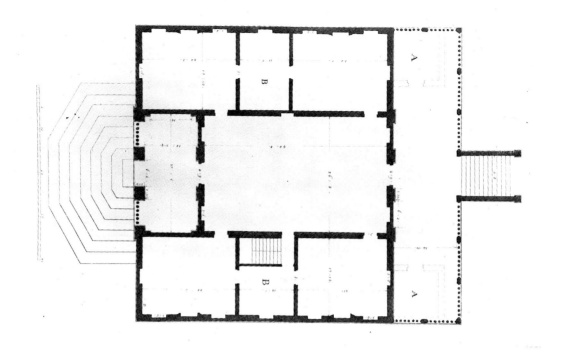

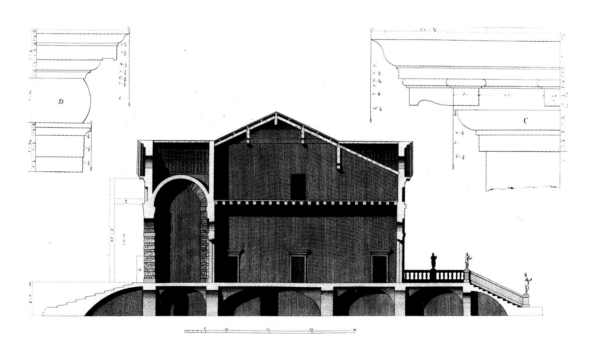

Caldogno - Villa Caldogno: Pianta e sezione *(da O. Bertotti Scamozzi).*

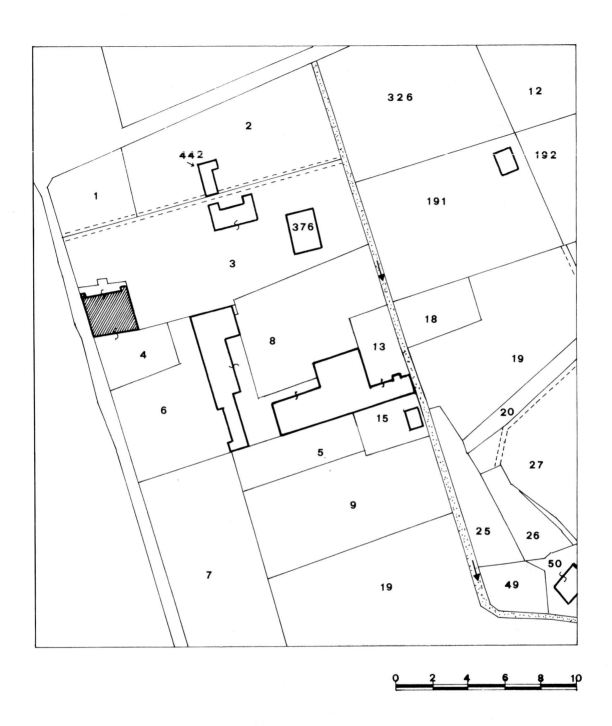

Comune di Caldogno - Sezione unica - Foglio X.

103

VILLA THIENE
Quinto Vicentino (Vicenza)

Il progetto di questa Villa è probabilmente coevo all'inizio della costruzione a Vicenza di quel grandioso palazzo che il Palladio aveva ideato sempre per i Thiene, e che, come si vedrà, resterà incompiuto perchè eccessivamente ambizioso in rapporto alle effettive possibilità.

Col palazzo di città la Villa di Quinto condivide analoga sorte; anche qui, infatti, il progetto resterà per gran parte sulla carta, e quanto realizzato sarà per di più solo il frammento di un corpo secondario. Vero peccato, perchè dagli studi preparatori del Maestro si ricava la convinzione che questa sarebbe stata certamente una delle sue opere più cospicue.

Com'è facilmente rilevabile dal documento fotografico, la Villa avrebbe dovuto assumere un aspetto particolarmente robusto e severo, ed avrebbe dovuto, in più, presentare soluzioni certamente nuove pur con l'uso dei consueti elementi classici.

Der Plan zu dieser Villa fällt wahrscheinlich mit dem Beginn der Bauarbeiten jenes großartigen Palastes zusammen, den Palladio ebenfalls für die der Thiene entworfen hatte, und der, wie noch zu zeigen ist, auf Grund der nicht im Verhältnis zu den finanziellen Möglichkeiten stehenden Großartigkeit des Plans unvollendet bleiben sollte.

Mit dem Stadtpalast teilt die Villa in Quinto auch das Schicksal, hier wie dort bleibt der Entwurf zum größten Teil auf dem Zeichentisch. Was verwirklicht wurde, ist zudem nur der Bruchteil eines Nebengebäudes.

Leider, denn die Studien unseres Meisters lassen keinen Zweifel daran, daß es sich hier um eines seiner bemerkenswertesten Werke hätte handeln sollen. Schon aus der Abbildung geht hervor, daß die Villa ein ganz besonders kraftvolles und strenges Aussehen hätte annehmen sollen und darüberhinaus neben den üblichen klassischen Elemente zweifellos neue Lösungen vorschlagen solte.

Le projet de cette Villa est probablement contemporain à la construction du grandiose palais à Vicence que Palladio avait conçu toujours pour les Thiene, et qui, comme on le verra, restera inachevé parce que excessivement ambitieux par rapport aux possibilités réelles.

Comme pour le palais de ville, le projet de la Villa de Quinto restera en grande partie sur le papier, et ce que l'on réalisera ne sera que le fragment d'un bâtiment secondaire. Cela est vraiment dommage, car, des études préparatoires du Maître, on déduit qu'elle aurait été certainement une dè ses oeuvres les plus considérables.

Comme il est facile de relever par la documentation photographique, la Villa aurait eu un aspect particulièrement massif et sévère et aurait dû présenter des solutions certainement nouvelles, bien qu'utilisant les éléments classiques habituels.

104

Villa Thiene

This Villa was probably planned at the same time in which work started on the construction in Vicenza of that grandiose palace that Palladio had designed for the Thiene family but which remained unfinished because the scale on which it was planned was too ambitious for the means available.
The Villa at Quinto shared the same fate as the town palace, here, too, a large part of the plan was never realized and what was built was only a fragment a secondary unit. This was a real pity because the preparatory drawings Palladio made lead us to believe that this would certainly have been one of his most important works.
As can easily be seen in the photograph, the villa should have had a particularly robust and severe aspect and should, moreover, have achieved new effects even if through the use of classical elements.

I DISEGNI, che seguono sono della fabrica del Conte Ottauio Thiene à Quinto sua Villa.
Fù cominciata dalla felice memoria del Conte Marc'Antonio suo padre, e dal Conte Adriano suo
Zio : il sito è molto bello per hauer da una parte la Tesina, e dall'altra vn ramo di detto fiume assai
grande : Hà questo palagio vna loggia dauanti la porta di ordine Dorico : per questa si passa in vn'altra loggia, e di quella in vn cortile : il quale ha ne i fianchi due loggie : dall'vna, e l'altra testa di queste
loggie sono gli appartamenti delle stanze, delle quali alcune sono state ornate di pitture da Messer
Giouanni Indemio Vicentino huomo di bellissimo ingegno . Rincontro all'entrata si troua vna
loggia simile à quella dell'entrata, dalla quale si entra in vn'Atrio di quattro colonne, e da quello nel
cortile, il quale ha i portici di ordine Dorico, e serue per l'vso di Villa . Non ui è alcuna scala principale corrispondente à tutta la fabrica : percioche la parte di sopra non ha da seruire, se non per salua-
robba, e per luoghi da seruitori.

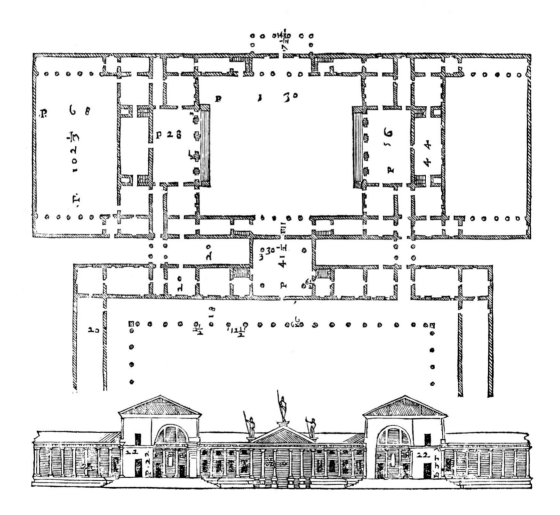

A. Palladio — Descrizione, pianta e alzato di Villa Thiene a Quinto Vicentino *(da "I Quattro Libri")*.

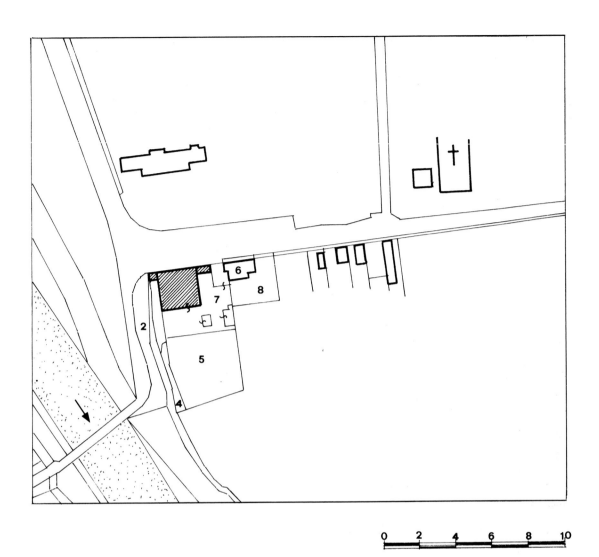

0   2   4   6   8   10

Comune di Quinto Vicentino - Sezione unica - Foglio VII.

107

VILLA POJANA
Pojana Maggiore (Vicenza)

Ancora una volta ci si trova di fronte ad una opera palladiana di cui è stata realizzata solo una parte, anche se la più cospicua. Nel progetto pubblicato ne "I Quattro Libri", infatti, l'idea appare ben più articolata e complessa: ulteriori ali sui fianchi, e quindi colonnato a gomito e barchesse — il tutto disposto simmetricamente ai lati — sino al limite della strada corrente ad ovest. La Villa riprende soluzioni adottate dal Palladio già in opere precedenti, ma l'insieme risulta ancora una volta sostanzialmente nuovo anche — e soprattutto — per l'inserimento al centro della grande e sobria serliana sormontata da cornice oculata, e per l'uso di un ampio frontone privo di base.

Auch hier wieder ein palladianisches Bauwerk, von dem nur ein Teil, wenn auch der gewichtigste, verwirklicht wurde. In dem in "I Quattro Libri" veröffentlichten Entwurf können wir in der Tat erkennen, daß die Grundidee wesentlich ausführlicher und komplexer war. Geplant waren weitere Seitenflügel mit der dazugehörigen angewinkelten Kolonnade und den Barchessen symmetrisch zu beiden Seiten bis hin zur der im Westen vorbeiführenden Straße. Bei der Villa wurden von Palladio in vorhergehenden Bauwerken aufgenommene Lösungen entlehnt, das Gesamtbild gibt sich jedoch auf Grund der großen, schlichten Serliana mit darüberliegendem Bogengesims und dem großartigen basislosen Giebel vollkommen neuartig.

Nous voilà encore une fois devant une oeuvre inachevée de Palladio: en effet une partie seulement — bien que la plus considérable — a été réalisée. Dans le projet publié dans "Les quatre livres de l'Architecture" (Venise 1570) l'idée apparaît en effet bein plus articulée et complexe: des ailes latérales, avec une colonnade incurvée, et des "barchesse" — le tout disposé symétriquement sur les côtés — jusqu'à la limite de la route à l'ouest.
La Villa reprend des solutions déjà adoptées précédemment par Palladio, mais l'ensemble apparaît nouveau encore une fois, en particulier grâce à l'insertion, au centre, de la serliana, importante et sobre en même temps, surmontée d'un arc percé d'ouvertures rondes et d'un grand fronton sans base.

This is another example of a Palladian building which was never completed, even if the most important part of it was. In the plan published in the "Quattro Libri dell'Architettura" (Venice, 1570) the idea seems much more complex: the plan included further side wings with L-shaped colonnades and "barchesse" — set symmetrically at both sides — reaching as far as the road that runs westward.

108

Villa Pojana

The Villa contains features that Palladio had already adopted in previous works but once again we have a feeling of something new and highly individual, largely for the insertion in the central section of a huge austere Serliana surmounted by a frame decorated with oculi and for the use of a high pediment without a base.

109

VILLA POJANA

Atrio / Vorhalle / Vestibule / Atrium

L'uso dell'ampia serliana al centro del prospetto e l'apertura di due ampie finestre ai lati della medesima conferiscono all'atrio una sorprendente luminosità del cui beneficio si avvalgono evidentemente le sale ai lati ed il salone centrale che qui s'innesta col lato breve.
L'atrio è coperto da elegante volta a crociera con decorazioni ad affresco del sec. XVI.

Die großzügige Serliana im Zentrum der Schauseite mit den beiden großen Fenstern rechts und links gibt der Vorhalle eine überraschende Helle, die wiederum den seitlichen Gemächern und dem sich mit der Kurzseite anschließenden Mittelsaal zugute kommt. Die Vorhalle hat ein elegantes Kreuzgewölbe mit Fresken aus dem XVI. Jhd.

La vaste ''serliana'' au centre de la façade et l'ouverture de deux grandes fenêtres à ses côtés donnent au vestibule une lumière surprenante, dont profitent évidemment les salles latérales et le salon central.
Le vestibule est couvert par une élégante voûte d'arêtes avec des décorations de fresques du XVIe siècle.

The use of the large Serliana in the centre of the façade with an ample window opening at each side of it gives a surprising luminosity not only to the atrium but also to the side rooms and to the central salon whose short side is adjoined here. The elegant cross-vaulting in the atrium is covered with sixteenth century decorations and frescoes.

Villa Pojana
Atrio / Vorhalle / Vestibule / Atrium

VILLA POJANA

Sala Centrale / Mittelsaal / Salle centrale / Central salon

L'asserto fatto precedentemente e relativo alla luminosità dell'atrio trova riscontro in questa veduta della sala centrale la cui porta d'ingresso è allineata con l'apertura centinata della serliana esterna.
Il soffitto a botte di questa sala è affrescato da pittori veronesi del sec. XVI. Le lunette dei lati brevi ripropongono il motivo esterno degli oculi qui posti ad incorniciare una finestra del tipo termale.

Die zuvor aufgestellte Behauptung hinsichtlich der Helle der Vorhalle findet hier in der Abbildung des Mittelsaals, dessen Eingang auf gleicher Linie mit dem Serlianabogen außen liegt, voll und ganz Bestätigung.
Das Tonnengewölbe wurde im XVI. Jhd. von Veroneser Meistern mit Fresken bemalt.
Die Lünetten an den Kurzseiten nehmen das Rundfenstermotiv von außen wieder auf und dienen hier als Rahmen des Thermalfensters.

La luminosité du vestibule est mise en évidence par cette vue de la salle centrale dont la porte d'entrée s'aligne avec l'ouverture cintrée de la ''serliana'' extérieure.
Le plafond en berceau de cette salle est décoré par les fresques de peintres de Vérone du XVIᵉ siècle. Les lunettes situées sur la largeur de la pièce, répètent le motif extérieur des lucarnes rondes; elles encadrent ici une fenêtre thermale.

Proof of what we have previously said about the luminosity of the atrium is given by this view of the central salon in which the entrance door is aligned with the arched opening of the external Serliana.
The barrel-ceiling in this room is frescoed by sixteenth century Veronese painters. The lunettes on the short sides repeat the external motif of the oculi, used here to surround a thermal-type window.

Villa Pojana
Sala Centrale / Mittelsaal / Salle centrale / Central salon

113

VILLA POJANA

Affreschi della sala centrale / Freskomalereien im Mittelsaal /
Fresques de la salle centrale / Frescoes in the central salon

La citata luminosità della sala centrale è accentuata dalle pareti liscie e spoglie, e dalla limpida volta a botte in cui risaltano i colori di tre isolati affreschi — quello centrale più grande e di forma ovale — dovuti forse all'esperto pennello di Giambattista Zelotti.

Die gerühmte Helle des Mittelsaals wird zusätzlich durch die glatten und schmucklosen Wände unterstrichen, sowie durch das klare Tonnengewölbe, von dem sich die Farben von drei abgeschlossenen Fresken, — die mittlere und größte ist oval — die wir wahrscheinlich der erfahrenen Hand eines Giambattista Zelotti verdanken, abheben.

La luminosité déjà mentionnée de la salle centrale est accentuée par les murs lisses et dépouillés et par la voûte limpide en berceau où ressortent les couleurs de trois fresques isolées — la centrale, plus grande, est de forme ovale — dues peut-être au pinceau savant de Giambattista Zelotti.

The afore-mentioned luminosity of the central salon is accentuated by the smooth unadorned walls and by the limpid barrel-vaulting which enhance the colours of the three isolated frescoes — the central one, the largest and oval-shaped — is probably the work of the great Giambattista Zelotti.

114

Villa Pojana
Affreschi della sala centrale / Freskomalereien im Mittelsaal / Fresques de la salle centrale / Frescoes in the central salon

115

VILLA POJANA

Saletta delle Grottesche / Kl. Saal der Groteskeu / Petite salle des grotesques / The room of the "grotteschi"

Il paramento pittorico di questa stanza è prevalentemente costituito da grottesche dipinte ad affresco da Bernardino India e da Anselmo Canera, esponenti dell'importante scuola veronese del sec. XVI.
Nelle lunette delle pareti brevi e sopra le porte sono dipinti splendidi paesaggi agresti.

Die malerische Ausstattung dieses Gemaches besteht zum grössten Teil aus Grotesken, die das Werk Bernardino Indias und Anselmo Caneras sind. Diese beiden Maler gehören der bedeutenden veronesischen Schule aus dem XVI. Jahrhundert an.
In den Lünetten der kurzen Wände und über den Türen befinden sich prächtige ländliche Darstellungen.

Les peintures de cette salle sont constituées en majeure partie par des grotesques peintes par Bernardino India et par Anselmo Canera, représentants de l'importante école de Vérone du XVIᵉ siècle.
Dans les lunettes des murs courts et sur les portes sont peints de splendides paysages agrestes.

The pictorial decoration of this room is predominantly made up of frescoed "grotteschi" by Bernardino India and Anselmo Canera who belonged to the important sixteenth century Veronese school.
The lunettes on the short walls and over the doors contain splendid paintings of rural scenes.

116

Villa Pojana
Saletta delle Grottesche / Kl. Saal der Grotesken / Petite salle des grotesques /
The room of the "grotteschi"

117

IN POGLIANA Villa del Vicentino è la fottopofta fabrica del Caualier Pogliana : le fue ftanze fono ftate ornate di pitture, e ftucchi bellifsimi dá Mefer Bernardino India, & Mefer Anfelmo Canera pittori Veronefi, e da Mefer Bartolomeo Rodolfi Scultore Veronefe : le ftanze grandi fono lunghe vn quadro, e due terzi, e fono in uolto : le quadre hanno le lunette ne gli angoli : fopra i camerini ui fono mezati : la altezza della Sala è la metà più della larghezza, e uiene ad efere al pari dell'altezza della loggia : la fala è inuoltata à fafcia, e la loggia à crociera : fopra tutti quefti luoghi è il Granaro, e fotto le Cantine, e la cucina : percioche il piano delle ftanze fi alza cinque piedi da terra : Da vn lato ha il cortile, & altri luoghi per le cofe di Villa, dall'altro vn giardino, che corrifponde a detto Cortile, e nella parte di dietro il Bruolo, & una Pefchiera, di modo che quefto gentil'huomo, come quello che è magnifico, e di nobilifsimo animo, non ha mancato di fare tutti quegli ornamenti, & tutte quelle commodità che fono pofsibili per rendere quefto fuo luogo bello, diletteuole, & commodo.

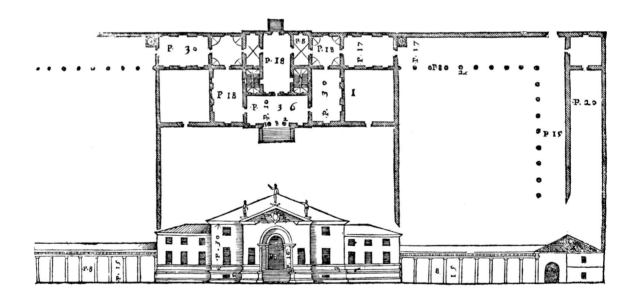

A. Palladio — Descrizione, pianta e alzato di Villa Pojana a Pojana Maggiore *(da "I Quattro Libri")*.

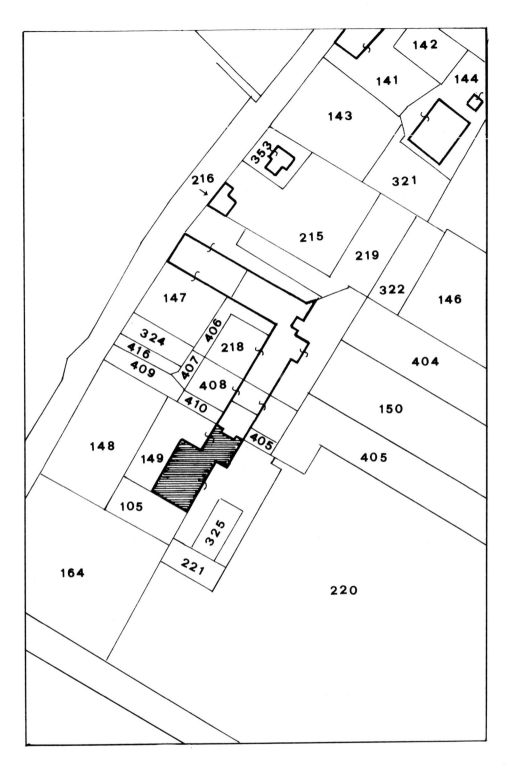

Comune di Pojana Maggiore - Sezione C - Foglio I.

119

VILLA ANGARANO

Bassano del Grappa (Vicenza)

Per l'autorevole imporsi del grande edificio principale e della elegante chieset-ta all'estremità sud-est, l'interessante complesso sembra appartenere tutto al sec. XVII; il severo porticato dorico che incornicia il cortile centrale, tuttavia, è in parte cinquecentesco, ed è il medesimo progettato dal Palladio per Giaco-mo Angarano intorno al 1548.

Durch den gebieterischen Eindruck, den das Hauptgebäude samt der elegan-ten Kapelle an der äußersten Süd-Ostseite macht, könnte dieser interessante Komplex ohne weiteres aus dem XVII. Jhd. stammen. Der strenge dorische Säulengang, der den Innenhof einrahmt, ist jedoch zum Teil aus dem XVI. Jhd. und ist in allem dem von Palladio für Giacomo Angarano um 1548 ge-planten gleich.

Cet intéressant ensemble, par la prééminence du grand édifice central et de l'élégante petite église à l'extrémité sud-est, semble appartenir au XVIIᵉ siè-cle; les portiques doriques très sévères qui encadrent la cour centrale sont néan-moins du XVIᵉ siècle et sont les mêmes que Palladio projeta pour Giacomo Angarano vers 1548.

The large stately main building and the elegant little church at the south-eastern extremity suggest that this interesting Villa complex belongs completely to the 18th century: the austere Doric arcade which frames the central courtyard, however, is partly 15th century, and it is that which was designed by Palladio for Giacomo Angarano around about 1548.

Villa Angarano, ora Bianchi Michiel

LA SEGVENTE fabrica è del Conte Giacomo Angarano da lui fabricata nella sua Villa di Angarano nel Vicentino. Ne i fianchi del Cortile vi sono Cantine, Granari, luoghi da fare i uini, luoghi da Gastaldo: stalle, colombara, e più oltre da una parte il cortile per le cose di Villa, e dall'altra vn giardino: La casa del padrone posta nel mezo è nella parte di sotto in uolto, & in quella di sopra in solaro: i camerini così di sotto come di sopra sono amezati: corre appresso questa fabrica la Brenta fiume copioso di buonissimi pesci. E' questo luogo celebre per i preciosi uini, che ui si fanno, e per li frutti che ui vengono, e molto più per la cortesia del padrone.

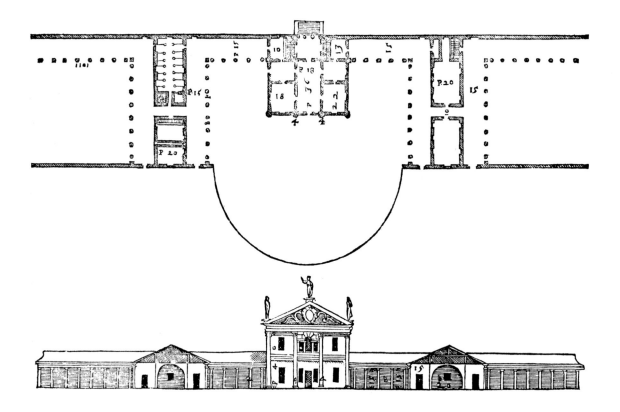

A. Palladio — Descrizione, pianta e alzato di Villa Angarano a Bassano del Grappa *(da "I Quattro Libri")*.

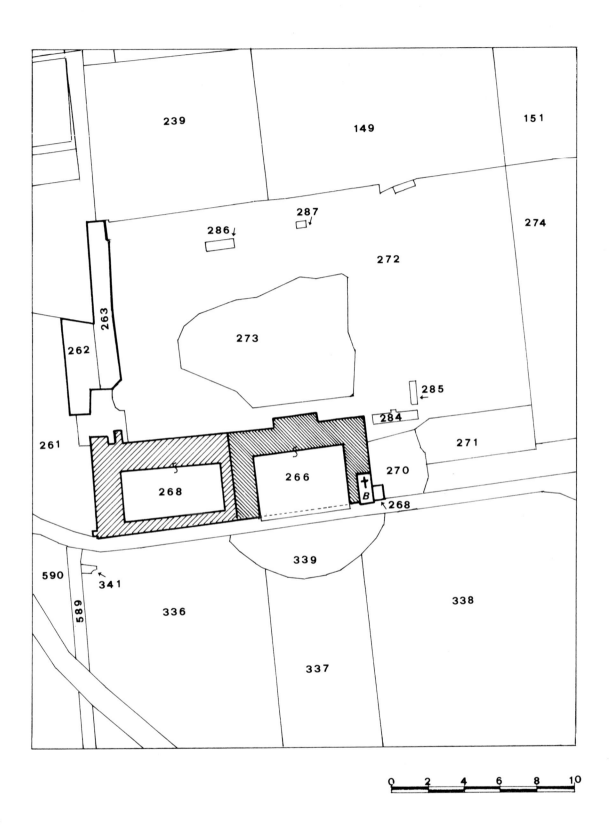

Comune di Bassano del Grappa - Loc. Angarano - Sezione G - Foglio VI.

123

VILLA PISANI
Montagnana (Padova)

Prospetto sulla strada / Nach der Strasse zujewendete Vordufront / Façade donnant sur la route / Street façade

Nel Cinquecento l'edificio in questione era già inserito, anche se certamente meno che adesso, nel contesto di un'area suburbana: ciò consente di capire la tipologia dell'opera tesa ad assumere più l'aspetto di palazzo che di centro coordinatore di attività fondiarie qual'è solitamente la casa signorile di campagna.

Il prospetto che dà sulla strada rispecchia palesemente tale asserto: si articola su due piani con fori addensati nel settore mediano e privi di modanature di contorno, concentrando nel corpo centrale i motivi di maggior rilievo quali il doppio ordine — tuscanico e ionico — di semicolonne, ed il ricco frontone nel cui timpano spiccano le fame tradizionali che sorreggono l'arma dei Pisani. I fianchi e gli altri prospetti risultano legati da fascie marcapiano, dal fitto dentellato del tetto, e soprattutto dal robusto fregio di metope e triglifi proprio dell'ordine inferiore.

Schon im XVI. Jhd. war dieses Bauwerk, wenn auch nicht in dem Maß wie heute, in das Stadtgefüge eingegliedert. Von hier aus versteht sich die Andersartigkeit dieses Gebäudes, das eher einem Palast als einem Treffpunkt ländlichen Lebens gleicht, was ja der Sinn des herrschaftlichen Landhauses eigentlich ist.

Die auf die Straße blickende Schauseite bestätigt eindeutig diese Behauptung. Bei dem zweigeschossigen Bauwerk häufen sich die schmucklosen Fenster ohne Gesims im Mittelteil. Ebenfalls auf den Mittelteil konzentriert sind die wichtigsten Motive, wie die doppelreihig angeordneten toskanischen und ionischen Reliefsäulen und der prachtvolle Giebel, in dessen Tympanum die traditionsträchtigen Schildhalter das Wappen der Pisani stützen.

Die Seitenteile und die anderen Fassaden fügen sich mit den Gurtgesimsen, dem dichten Zahnschnittgesims am Dach und vor allem mit dem kraftvollen Metopen- und Triglyphenfries auf dem Untergeschoß zu einem einheitlichen Gesamtbild.

Au XVIᵉ siècle, l'édifice en question était déjà intégré dans une zone suburbaine, même si elle était moins dense qu'aujourd'hui: on comprend alors le plan de la construction qui a plus l'aspect d'un palais que d'un centre coordonnant l'activité agricole, comme le sont habituellement les demeures des gentilshommes fermiers.

La façade qui donne sur la route, reflète clairement cette orientation. Elle est composée de deux étages dont les ouvertures, sans modénatures de contour, sont regroupées dans le secteur médian: les motifs de plus grand intérêt sont concentrés dans le corps central: l'ordre double — toscan et ionique — des demi-colonnes et le riche fronton dont le tympan présente les figures traditionnelles de la Renommée qui soutiennent les armes des Pisani. Les côtés et les autres façades sont liés par des bandes qui indiquent l'étage, par l'épaisse dentelure du toit et surtout par la robuste frise de métopes et de triglyphes caractéristiques de l'ordre inférieur.

Villa Pisani

In the 16th century this villa was already part — even if less so than today
— of the suburban scene: this helps us to understand the tipology of the villa
that tends to assume the appearance of a town palace rather than of the
administrative centre of agricultural activity that a gentelman's country
residence usually was.

The façade that gives on to street clearly reflects this: it is two-storeyed with
the windows that are completely unadorned crowded together in the central
section. All the most important motifs are concentrated in this central part,
for example the double order — Tuscan and Ionic — of half columns and the
rich pediment with the traditional statues of Fame bearing the Pisani coat-of-
arms in the tympanum. The sides and other façades are knit together by a
decorative stringcourse, by the close denticulation of the roof and above all
by the robust frieze of metopes and triglyphs of the inferior order.

125

VILLA PISANI
Prospetto sul giardino / Gartenschauseite / Façade sur le jardin / Garden façade

Proprio perchè rivolto al giardino e quindi alla campagna, il prospetto a nord-est tende palesemente a recuperare l'edificio alla mai rinunciata funzione di Villa; il corpo centrale s'apre infatti in due sovrapposte logge che conservano gli ordini dell'opposto prospetto. Qui convergono e si saldano pure i cennati marcapiani, il dentellato ed il fregio.

Gerade weil sie auf den Garten blickt, das Land sucht, soll die nord-östliche Schauseite wohl offensichtlich dem Bauwerk den nie ganz aufgegebenen Charakter einer Villa, eines Landhauses geben. Der Mittelteil stellt sich tatsächlich mit den zwei übereinanderliegenden Freisitzen vor, deren Ordnung die der gegenüberliegenden Schauseite wiederholt. Auch das schon erwähnte Gurtgesims, das Zahnschnittgesims und das Fries laufen hier zu einem Eins zusammen.

C'est justement parce que la façade Nord-Est donne sur le jardin, donc sur la campagne, qu'elle tend clairement à récupérer la fonction de Villa à laquelle on ne voulait pas renoncer; le corps central s'ouvre en effet en deux loggias superposées qui maintiennent les ordres de la façade opposée. Ici convergent, se soudent même, les bandes marquant les étages, la dentelure et la frise.

Because it overlooks the garden, and therefore, the countryside, the north-east façade clearly aims at restoring the building to its never relinquished function of Villa: the central body, in fact, presents two superimposed loggias which repeat the orders of the opposite façade. Here converge and knit together the previously mentioned string-course, denticulation and frieze.

126

Villa Pisani
Prospetto sul giardino / Gartenschauseite / Façade sur le jardin / Garden façade

127

VILLA PISANI

Atrio / Vorhalle / Vestibule / Atrium

L'interno del palazzo-villa fa perno sul grande atrio detto "delle quattro colonne", stupenda invenzione del grande architetto che qui riesce mirabilmente a conciliare esigenze di carattere estetico e necessità di ordine pratico. L'ampia volta poggia su quattro colonne centrali e su altrettanti semicolonne ai lati creando un delicato effetto chiaroscurale.

Die gesamte Palastvilla schart sich konzentrisch um das große sogenannte "Vier Säulen Atrium", einer einzigartigen Erfindung des großen Baumeisters, dem es hier auf wunderbare Weise gelungen ist, die ästhetischen Anforderungen mit den praktischen Bedürfnissen in perfekten Einklang zu bringen.
Das weitläufige Gewölbe ruht auf vier zentralen Säulen und auf gleichvielen Reliefsäulen an den seitlichen Wänden, wodurch ein höchst delikates Spiel der Licht- und Schattenmassen entsteht.

L'intérieur du palais-villa pivote sur le grand vestibule dit "Des quatre colonnes", splendide invention du grand architecte, qui réussit admirablement à concilier les exigences de caractère esthétique et les nécessités d'ordre pratique. L'ample voûte s'appuie sur quatre colonnes centrales et sur autant de demi-colonnes latérales, créant ainsi un délicat effet de clair-obscur.

The interior of this villa-palace centres on the huge atrium called the "hall of the four columns", a stupendous invention of the great architect admirably succeeding in conciliating aesthetic and practical needs.
The huge ceiling rests on four central columns and on the same number of half columns at the sides, so creating a delicate chiaroscuro effect.

Villa Pisani
Atrio / Vorhalle / Vestibule / Atrium

129

VILLA PISANI

Ingresso da nord-est / Nord-östlicher Eingang / Entrée de Nord-Est / North-East entrance

Il collegamento tra la loggia sul giardino e l'atrio delle quattro colonne è assicurato da un vano allungato — non ampio, ma elegante — la cui volta a botte decentra, raccordandovisi ed integrandola, la geniale soluzione dell'ingresso principale.

Die Verbindung zwischen dem Freisitz zum Garten und dem Viersäulenatrium ist durch einen kleineren länglichen und eleganten Gang gegeben, dessen Tonnengewölbe die geniale Lösung des Hauteingangs als Verlängerung und Ergänzung praktisch auflockert.

La communication entre la loggia sur le jardin et le vestibule des quatre colonnes est assurée par une pièce toute en longueur — pas grande, mais élégante — dont la voûte en berceau décentralise, en s'y raccordant et en l'intégrant, la solution géniale du vestibule principal.

The loggia that faces the garden is linked to the "hall of the four columns" by a long room, not large but elegant, whose barrel-vault decentralizes the main entrance, ingeniously joining together the two halls and integrating the whole.

Villa Pisani
Ingresso da nord-est / *Nord-Östlischer Eingang* / Entrée de Nord-Est /
North-East entrance

LA SEGVENTE fabrica è appreffo la porta di Montagnana Caftello del Padoano, e fu edificata dal Magnifico Signor Francefco Pifani: ilquale paffato à miglior uita non la ha potuta finire. Le ftanze maggiori fono lunghe un quadro e tre quarti: i uolti fono à fchiffo, alti fecondo il fecondo modo delle altezze de' uolti: le mediocri fono quadre, & inuoltate à cadino: I camerini, e l'andito fono di uguale larghezza: i uolti loro fono alti due quadri: La entrata ha quattro colonne, il quinto più fottili di quelle di fuori: lequali foftentano il pauimento della Sala, e fanno l'altezza del uolto bella, e fecura. Ne i quattro nicchi, che ui fi ueggono fono ftati fcolpiti i quattro tempi dell'anno da Meffer Aleffandro Vittoria Scultore eccellente: il primo ordine delle colonne è Dorico, il fecondo Ionico. Le ftanze di fopra fono in folaro: L'altezza della Sala giugne fin fotto il tetto. Ha quefta fabrica due ftrade da i fianchi, doue fono due porte, fopra le quali ui fono anditi, che conducono in cucina, e luoghi per feruitori.

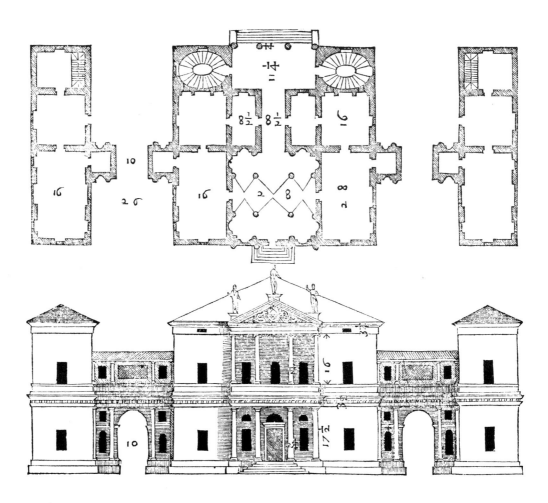

A. Palladio — Descrizione, pianta e alzato di Villa Pisani a Montagnana *(da "I Quattro Libri")*.

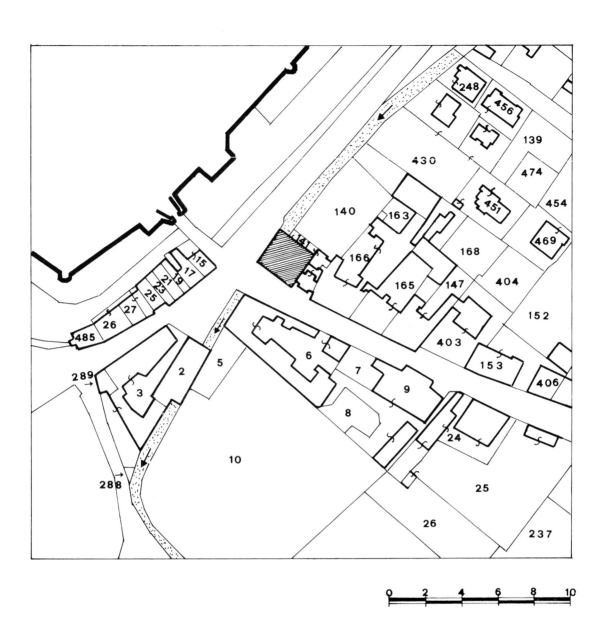

Comune di Montagnana - Sezione unica - Foglio 35.

133

VILLA CORNARO
Piombino Dese (Padova)
Prospetto meridionale / Südseite / Façade méridionale / South Façade

Come nel precitato caso di Montagnana, la Villa si apre a meridione con due aeree logge sovrapposte perfettamente corrispondenti a quelle del pronao esastilo del fronte opposto.
Identico anche il paramento in bugnato gentile che crea sui fianchi e sul fondo delle logge un leggero effetto chiaroscurale.

Wie die schon vorgestellte Villa Montagnana hat auch diese Villa zwei übereinanderliegende Freisitze in der südlichen Schauseite, die vollkommen mit denen der sechssäuligen Vorhalle auf der entgegengesetzten Fassade übereinstimmen. Gleich ist auch die Verkleidung aus feinem Bossenwerk, das auf den Seitenwänden und der Rückwand der Freisitze ein zartes Spiel der Licht- und Schattenmassen entstehen läßt.

Comme dans le cas de Montagnana, la Villa s'ouvre au Sud par deux loggias aériennes superposées, parfaitement correspondantes à celles du pronaos hexastyle de la façade opposée.
Le parement en bossage délicat qui crée sur les côtés et sur le fond des loggias un léger effet de clair-obscur est aussi identique.

Like Villa Pisani at Montagnana, this Villa has on the south side two superimposed loggias which perfectly correspond to the loggias of the hexastyle pronaos on the north façade.
Identical, too, is the delicate rustication that creates a delightful effect of light and shade on the back of the loggias.

Villa Cornaro

VILLA CORNARO

Prospetto settentrionale / Nordseite / Façade septentrionale / North Façade

Il tema delle logge sovrapposte, già esaminato nella Villa Pisani di Montagnana, viene formulato dal Palladio anche per questo edificio la cui progettazione è di poco posteriore e risale presumibilmente al 1553. Anche in questo caso, infatti, la fabbrica si sviluppa su due piani con due marcati settori mediani contrassegnati, però, dall'ordine ionico sotto e da quello corinzio sopra.
Più che dall'uso di ordini ed elementi meno sobri, questo edificio acquista brio e leggerezza maggiori, rispetto alla precitata Villa Pisani, in virtù dell'inserimento del grande pronao settentrionale il cui aggetto dai fianchi risulta sensibile. Ciò, insieme con l'antistante giardino, conferisce all'insieme la caratteristica di Villa, impronta che permane nonostante l'edificio sia ora definitivamente inserito nel contesto urbano.

Das Motiv der übereinanderliegenden Freisitze, dem wir schon in der Villa Pisani in Montagnana begegnet sind, wird von Palladio auch für dieses wenig später, wahrscheinlich um 1553 entworfene Bauwerk verwendet. Auch hier ist in der Tat das Gebäude zweigeschossig mit zwei deutlich abgesetzten Mittelteilen, mit ionischen Säulen im unteren und korinthischen Säulen im oberen Teil. Weniger auf Grund der weniger schlichten Ordnungen und Elemente, gewinnt dieses Bauwerk an Eleganz und Leichtigkeit gegenüber der vorstehenden Villa Pisani, als auf Grund der großen Vorhalle auf der Nordseite, deren Vorsprung gegenüber den Seitenteilen beachtlich ist. Diese Tatsache gibt dem Gesamtbild zusammen mit dem davorliegenden Garten den typischen Villencharakter, der auch heute noch, trotz entgültiger Einbeziehung der Villa in das Stadtgefüge, nicht zu leugnen ist.

Le thème des loggias superposées, déjà vu dans la Villa Pisani de Montagnana, est utilisé par Palladio même pour cet édifice dont le projet est de peu postérieur et remonte probablement à 1553. Ici aussi, en effet, la construction se développe sur deux étages avec deux parties centrales très marquées, différenciées néanmoins par l'ordre ionique en bas et l'ordre corinthien en haut. La grâce et l'élégance de cette Villa, plus accentuées que dans la Villa Pisani, sont dues plus à la présence du grand pronaos septentrional dont la position saillante par rapport aux côtés est très sensible, qu'à l'utilisation d'ordres et d'éléments moins sobres. Tout cela, en harmonie avec le jardin, donne à l'ensemble l'aspect caractéristique de la Villa, un aspect qui persiste bien que l'édifice se trouve maintenant complètement intégré dans le contexte urbain.

The motif of the two loggias, placed one on top of the other, already seen in the Villa Pisani at Montagnana, was used again by Palladio for this building which was planned a little later, probably about 1553. Also here, the building has two floors with two clearly defined central sections; however, here the lower columns are of Ionic order while the upper ones are of Corinthian.

136

Villa Cornaro
Prospetto settentrionale / Nordseite / Façade septentrionale / North Façade

clearly defined central sections; however, here the lower columns are of Ionic order while the upper ones are of Corinthian.
This building gives an impression of greater liveliness and lightness than Villa Pisani, not only because of the use of less sombre orders and motifs but most of all because of the addition on the north façade of the great pronaos which projects considerably from the side wings. This, together with the garden in front, gives the whole the characteristic stamp of "villa", an impression which still survives even though the building has now an urban rather than a rural setting.

VILLA CORNARO

Loggia inferiore meridionale / Unterer südlicher Freisitz /
Loggia inférieure méridionale / Lower loggia - south side

L'effetto chiaroscurale di cui si è detto si accentua nelle logge sulle quali si aprono i numerosi fori — disposti su due piani — del salone adiacente e delle scale ai lati.
Particolarmente eleganti le colonne di modulo leggermente allungato sulle quali poggiano le travature di base del salone superiore.

Das erwähnte Spiel der Licht- und Schattenmassen verstärkt sich in den Freisitzen, auf die die zahlreichen, über zwei Geschosse gehenden Fenster des anliegenden Mittelsaals und der seitlichen Treppen gehen.
Ganz besonders elegant geben sich die leicht in die Länge gezogenen Säulen, auf denen das Gebälk des oberen Mittelsaals ruht.

L'effet de clair-obscur dont on a déjà parlé, s'accentue dans les loggias où s'ouvrent les nombreuses ouvertures — disposées sur deux étages — du salon voisin et des escaliers sur les côtés.
Les colonnes de module légèrement allongé, où s'appuient les poutrages de base du salon supérieur, sont particulièrement élégantes.

The chiaroscuro effect, already mentioned, is even greater in the loggias into which the various windows — arranged on two levels — of the adjoining rooms and side staircases open.
The slightly lengthened columns on which the supporting truss of the upper salon rests are particularly elegant.

Villa Cornaro
Loggia inferiore meridionale / Unterer südlicher Freisitz /
Loggia inférieure méridionale / Lower loggia - south side

VILLA CORNARO

Salone Centrale / Mittelsaal / Salon central / Central salon

Il grande atrio rettangolare ed il salone a pianta quadrata rappresentano gli ambienti interni più rappresentativi di tutto il complesso, del quale costituiscono il fulcro.
In tali vani il Palladio ripropone il motivo delle quattro colonne, qui poste però a sostenere non già l'ardita volta rilevata a Montagnana, bensì robusti architravi sui quali poggiano le fitte travi deliziosamente dipinte secondo la moda dell'epoca.

Das große rechteckige Atrium und der Saal mit seinem quadratischen Grundriss sind die repräsentativsten Gemächer des ganzen Komplexes, sozusagen das Herz der Anlage. Auch hier verwendet Palladio aufs neue das Motiv der vier Säulen, die diesmal jedoch nicht wie in Montagnana ein kühnes Gewölbe tragen, sondern kraftvolle Architrave auf denen das dichte, entsprechend der damaligen Mode reich bemalte Gebälk ruht.

Le grand vestibule rectangulaire et le salon carré constituent les pièces intérieures les plus représentatives de tout le complexe dont elles sont le coeur.
Dans ces pièces, Palladio repropose le motif des quatre colonnes, qui sont ici placées non pas pour soutenir une voûte hardie comme à Montagnana, mais les robustes architraves sur lesquelles s'appuient les poutres délicieusement peintes à la main selon la mode de l'époque.

The large rectangular atrium and the square salon are the most interesting rooms in the whole building and constitute its fulcrum.
In these rooms Palladio repeated the motif of the four columns: here, however, they do not serve as a support of the bold ceiling as at Montagnana but as robust architraves on which rest the close-set beams that are delightfully painted according to the fashion of the day.

140

Villa Cornaro
Salone centrale / Mittelsaal / Salon central / Central salon

141

VILLA CORNARO

Saletta laterale / Kleiner Seitensaal / Petit salon latéral / Small side room

Anche se concepiti in funzione di complemento dell'atrio e del salone centrale, dei quali risultano di conseguenza in subordine, i vani laterali sono trattati con estrema attenzione. Ne è conferma questa saletta laterale, la cui volta a botte è chiaramente intesa ad ampliare uno spazio altrimenti angusto.

Wenngleich die Nebengemächer nur als Ergänzung der Vorhalle und des Mittelsaals entstanden sind und somit eine untergeordnete Rolle spielen, wurden sie dennoch mit größter Sorgfalt behandelt. Bestätigung dafür ist dieser kleine Nebensaal, dessen Tonnengewölbe ganz offensichtlich dem sonst schmalen Raum Großzügigkeit verleihen sollte.

Même si elles ont été conçues comme complément du vestibule et du salon central auxquels elles sont en effet subordonnées, les pièces latérales sont étudiées avec beaucoup d'attention. Le petit salon latéral dont la voûte en berceau a été clairement conçue pour agrandir un espace qui aurait été trop étroit, en est une preuve.

Although intended to complement the atrium and central salon, to which they consequently appear subordinate, the side rooms were designed with great care. Evidence of this is seen in this small side room, where the barrel vaulting is clearly designed to enlarge an otherwise narrow space.

142

Villa Cornaro
Saletta laterale / Kleiner Seitensaal / Petit salon latéral / Small side room

VILLA CORNARO
Scala / Treppe / Escalier / Staircase

Ove manchi la possibilità di realizzare all'interno le maestose gradinate che spesso precedono gli ingressi dall'esterno, il Palladio attua il collegamento tra piani diversi con soluzioni ardite e geniali che conseguono lo scopo senza turbare l'equilibrio tra i vari ambienti.

Da wo die Möglichkeit für eine majestätische Freitreppe im Innern als Zugang von außen nicht gegeben ist, stellt Palladio die Verbindung zwischen den verschiedenen Geschossen mit kühnen genialen Lösungen her, die zweckdienlich sind, ohne dabei das Gleichgewicht zwischen den Räumlichkeiten zu beeinträchtigen.

Là où il n'y a pas la possibilité de réaliser à l'intérieur les grands escaliers qui se trouvent si souvent à l'extérieur, Palladio met en communication les divers étages par des solutions hardies et géniales qui donnent le même résultat, sans troubler l'équilibre des différentes pièces.

Where it was not possible to realize in the interior one of those magnificent flights of steps that so often lead up to the main entrance from outside, Palladio linked one floor with another in ingenious, often daring, ways that attained their object without disturbing the balance between the different rooms.

Villa Cornaro
Scala / Treppe / Escalier / Staircase

145

LA FABRICA, che fegue è del Magnifico Signor Giorgio Cornaro in Piombino luogo di Ca-
ftel Franco. Il primo ordine delle loggie è Ionico. La Sala è pofta nella parte più a dentro della cafa,
accioche fia lontana dal caldo, e dal freddo: le ale oue fi ueggono i nicchi fono larghe la terza parte
della fua lunghezza: le colonne rifpondono al diritto delle penultime delle loggie, e fono tanto di-
ftanti tra fe, quanto alte: le ftanze maggiori fono lunghe un quadro, e tre quarti: i uolti fono alti fecon
do il primo modo delle altezze de' volti: le mediocri fono quadre il terzo più alte che larghe; i uolti
fono à lunette: fopra i camerini vi fono mezati. Le loggie di fopra fono di ordine Corinthio: le colonne fono la quinta parte più fottili di quelle di fotto. Le ftanze fono in folaro, & hanno fopra alcuni
mezati. Da vna parte ui è la cucina, e luoghi per maffare, e dall'altra i luoghi per feruitori.

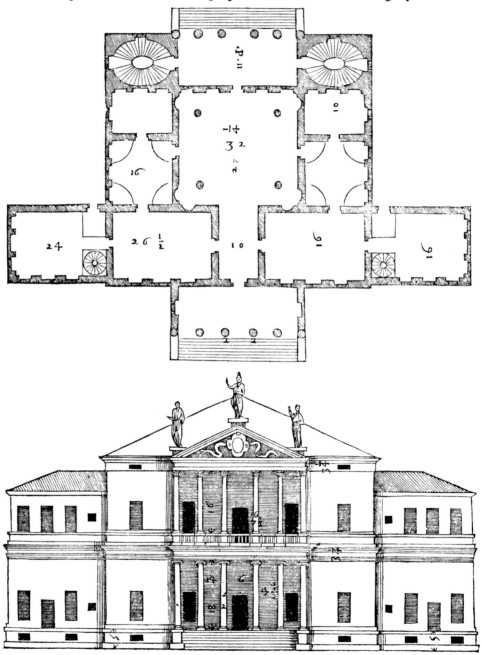

A. Palladio — Descrizione, pianta e alzato di Villa Cornaro a Piombino Dese *(da "I Quattro Libri")*.

146

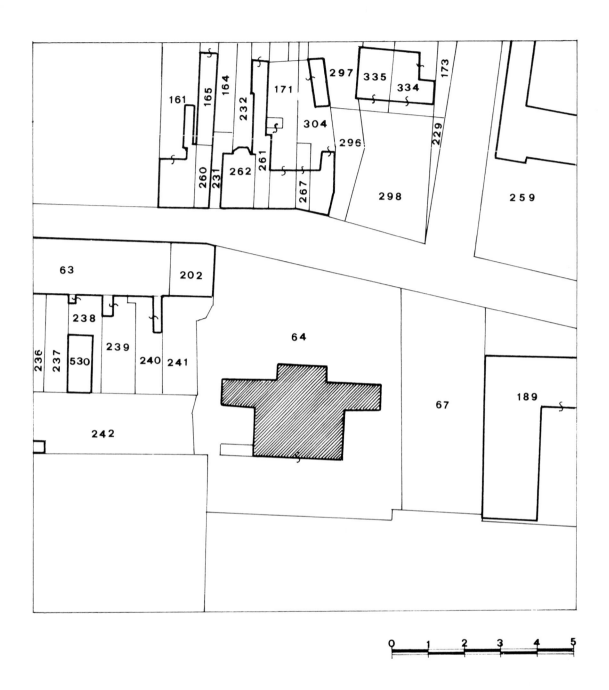

Comune di Piombino Dese - Sezione unica - Foglio 27/All. C.

147

VILLA RAGONA
Ghizzole di Montaldella (Vicenza)

Il progetto qui riportato — per alcuni versi incomprensibile — non ha alcun riscontro reale; stando ai pochi risultati delle tante ricerche fatte in proposito, infatti, la Villa in questione non venne mai realizzata. Di essa venne forse eseguita solo una parte, poi comunque scomparsa.

Der hier wiedergegebene — unter einigen Gesichtspunkten unverständliche — Entwurf, hat kein reelles Gegenstück. Entsprechend der geringen Resultate, die zahlreiche diesbezügliche Forschungen ergaben, wurde diese Villa nie verwirklicht. Möglicherweise kam nur ein Teil zur Ausführung, der dann jedenfalls verloren ging.

Le projet présenté ici — pour certains côtés incompréhensible — n'a aucune correspondance avec la réalité; les nombreuses recherches faites à cet égard ont abouti au résultat que cette Villa ne fut probablement jamais réalisée. On en a peut-être construit une partie, ensuite disparue.

The plan shown here — in part incomprehensible — was never eleborated; from what little results of the vast research done on the subject, we gather that the Villa in question was never realized. Perhaps a part of it was built but this has since disappeared.

148

I DISEGNI che feguono fono della fabrica del Signor Girolamo Ragona Gentil'huomo Vicentino fatta da lui alle Ghizzole fua Villa. Ha quefta fabrica la commodita ricordata di fopra, cioè che per tutto fi può andare al coperto: il pauimento delle ftanze per vfo del padrone è alto da terra dodici piedi: fotto quefte ftanze ui fono le commodità per la famiglia, e di fopra altre ftanze, che ponno feruire per granari,& ancho per luoghi da habitarui,venendo l'occafione: le Scale principali fono nella facciata dauanti della cafa,e rifpondono fotto i portici del cortile.

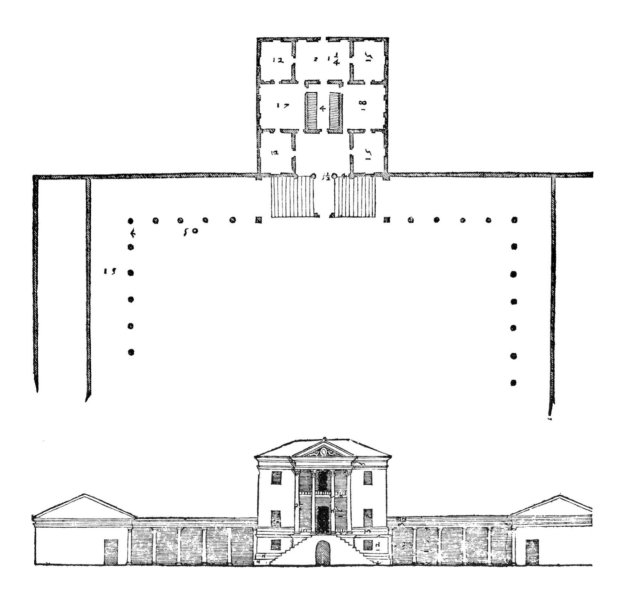

A. Palladio — Descrizione, pianta e alzato di Villa Ragona alle Ghizzole di Montegaldella *(da "I Quattro Libri")*.

VILLA THIENE
Cicogna di Villafranca Padovana (Padova)

Come tanti altri, anche questo imponente complesso non venne realizzato che in minima parte; scomparse le fondamenta del grandioso palazzo e le altre adiacenze, di esso rimane ora solo una barchessa a cinque arcate.

Wie viele andere wurde auch dieser imposante Komplex nur zu einem winzigen Teil verwirklicht. Verschwunden sind die Fundamente des großartigen Palastes und die anderen Anwesen, und übrig bleibt heute nur eine fünfbogige Barchessa.

Cet imposant ensemble aussi, comme tant d'autres, ne fut réalisé qu'en toute petite partie; le palais grandiose et les autres annexes ayant disparu, il ne reste maintenant qu'une "barchessa" à cinq arcades.

Like many others, only a small part of this imposing Villa was ever built; the foundations of the magnificent Palazzo and adjoining buildings have disappeared and only one Barchessa and five arches remain.

A. Palladio — Descrizione, pianta e alzato di Villa Thiene a Cicogna di Villafranca Padovana *(da "I Quattro Libri").*

LA SEGVENTE fabrica è del Conte Odoardo, & Conte Theodoro fratelli de' Thieni, in Cigogna sua Villa, la qual fabrica fu principiata dal Conte Francesco loro padre. La Sala è nel mezo della casa, & ha intorno alcune colonne Ioniche, sopra le quali è vn poggiuolo al pari del piano delle stanze di sopra: Il volto di questa Sala giugne fino sotto il tetto: le stanze grandi hanno i uolti à schiffo, e le quadrate à mezo cadino, e si alzano in modo, che fanno quattro torricelle ne gli angoli del la fabrica: i camerini hanno sopra i loro mezati: le porte de' quali rispondono al mezo delle scale. Sono le scale senza muro nel mezo, e perche la sala per riceuere il lume di sopra è luminosissima, esse ancora hanno lume à bastanza, e tanto più che essendo uacue nel mezo; riceuono il lume ancho di so- pra: in vno de' coperti, che sono per fianco del cortile ui sono le cantine, e i granari, e nell'altro le stal- le, e i luoghi per la Villa. Quelle due loggie, che come braccia, escono fuor della fabrica; sono fatte per vnir la casa del padrone con quella di Villa: sono appresso questa fabrica due cortili di fabrica vec chia con portici, l'vno per lo trebbiar de' grani, e l'altro per la famiglia più minuta.

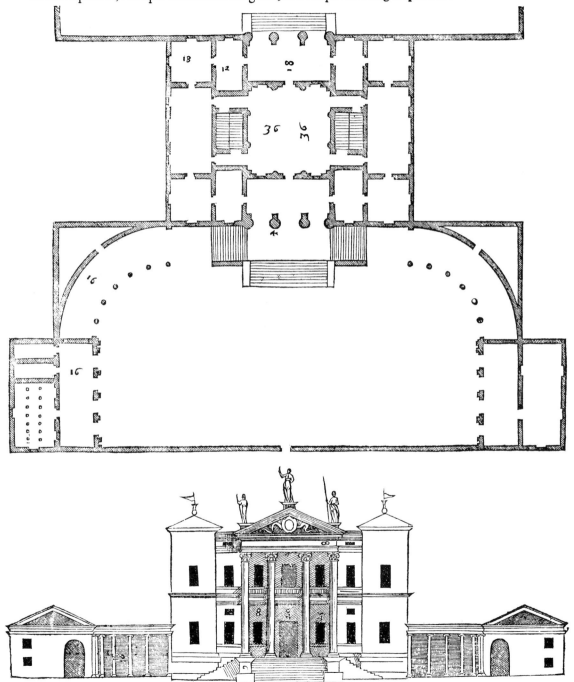

VILLA BADOER, detta "LA BADOERA"
Fratta Polesine (Rovigo)

Lo splendido edificio, progettato presumibilmente nel 1556 e già realizzato negli anni immediatamente precedenti il 1570 — nel periodo, quindi, della piena maturità artistica del Palladio — rappresenta certamente uno dei migliori accenti dell'arte del Maestro: di ciò rendono palese testimonianza l'armonia delle proporzioni, la purezza delle forme e l'alta poesia che promana dall'insieme.

Die reiche und interessante malerische Ausschmückung der Innenräume, teils Groteskmalerei, wobei jedoch allegorische und mythische Szenen nicht zu kurz kommen, steht dem venezianischen Stil und der Malweise des XVI. Jhds. vollkommen fern. Von Palladio selbst erfahren wir, daß der Künstler ein gewisser "Giallo Fiorentino dipintor" ist, der bis heute trotz vieler seine Person betreffenden Studien weitgehend unbekannt bleibt.

Ce splendide bâtiment, projeté probablement en 1556 et réalisé avant 1570 — période de la pleine maturité artistique de Palladio — représente certainement une des meilleures réalisation du Maître: l'harmonie des proportions, la pureté des formes et la grande poésie qui émane de l'ensemble en sont les plus vifs témoignages.

The rich and interesting pictorial decoration of the interior — often painted with "grotteschi" but also depicting allegories and mythological scenes — is completely beyond the style and technique of sixteenth century Veneto painters. From Palladio himself we learn that the author was "Giallo, fiorentino dipintor" — however, this artist still remains unknown despite all the research that has been carried out to discover his identity.

Villa Badoer, detta "La Badoera"

153

VILLA BADOER, detta "LA BADOERA"

Preceduto da una maestosa gradinata a ripiani della medesima ampiezza, un pronao esastilo ionico di modulo elegante si apre al centro di una semplice, luminosa facciata rispetto alla quale risulta di poco aggettante.
Particolare di grande interesse, che contribuisce in modo determinante all'estrema musicalità e poesia della fabbrica, è poi la sobrietà quasi francescana con cui il Palladio risolve il problema dei pochi fori del prospetto; le finestre, infatti, sono aperte direttamente sul filo dell'intonaco e sono assolutamente prive di modanature di contorno. Una piccola fascia, anch'essa liscia, corre tutt'intorno a marcare la base del piano nobile.

Über die großartige terassenförmige Freitreppe gleicher Breite gelangt man auf die leicht hervortretende sechssäulige Vorhalle ionischer Ordnung von elegantem Gepräge inmitten einer schlichten klaren Schauseite.
Besonders interessant und entschieden der Harmonie und Ausstrahlung des Bauwerks beiträglich ist schließlich die fast franziskanisch anmutende Schlichtheit, mit der Palladio das Problem der wenigen Fenster in der Schauseite löst. Diese schließen direkt ohne Sims mit dem Verputz ab. Ein schmales ebenfalls glattes Band läuft als Markierung rund um das Hauptgeschoß.

Précédé par un majestueux escalier à paliers, de la même largeur, un pronaos hexastyle ionique de module élégant s'ouvre au centre d'une simple et lumineuse façade par rapport à laquelle il est un peu en saillie.
La sobriété presque franciscaine avec laquelle Palladio résoud le problème des rares ouvertures sur la façade — les fenêtres, en effet, s'ouvrent directement sur le fil du crépi et sont absolument sans modénatures — est d'un grand intérêt et contribue énormément à l'extrême musicalité et à la poésie du bâtiment. Une petite bande, lisse elle aussi, court tout autour, marquant la base du premier étage.

An imposing flight of steps interrupted by landings all of the same width lead up to an elegant hexastyle Ionic pronaos set in the centre of a simple luminous façade and projecting slightly from it.
The interesting feature that contributes in no small way to the extreme musicality and poetry of the building is the almost Franciscan sobriety with which Palladio dealt with the few openings on the façade: the windows, in fact, are set flush with the edge of the plaster and are completely devoid of any moulding. A smooth narrow band runs all round the Villa to mark the base of the "piano nobile".

154

Villa Badoer, detta "La Badoera"

VILLA BADOER, detta "LA BADOERA"
Porticati / Lanbengänge / Arcades / Arcades

Da due brevi ali con balaustra si accede direttamente dal ripiano mediano della gradinata centrale ai due porticati laterali (detti venezianamente "barchesse"), che sono contrassegnati da colonnato dorico nel modulo e nell'estensione perfettamente armonizzato con l'insieme.
Proprio nella limpida impostazione delle "barchesse", che sono disposte simmetricamente ad esedra quasi a significare un simbolico amplesso di benvenuto, è da individuarsi la soluzione che maggiormente caratterizza questo complesso collocandolo in posizione decisamente singolare nel contesto delle opere palladiane.

Über zwei kurz mit Balustraden versehene Flügel gelangt man direkt vom mittleren Absatz der zentralen Freitreppe zu den beiden seitlichen Laubengängen (auf venezianisch "Barchesse") mit ihren harmonisch sich einfügenden dorischen Säulen.
Gerade auf Grund der klaren Anordnung der "Barchesse", die halbkreisförmig symmetrisch dem Hauptteil zugeordnet sind, gleichsam als ob sie den Ankommenden mit einer symbolischen Umarmung begrüßen wollten, liegt die Ausstrahlung, die das Bauwerk so klar charakterisiert, und es unter den palladianischen Werken auf jeden Fall in eine Sonderstellung rückt.

Par deux courtes ailes à balustrade on accède directement de l'étage médian de l'escalier central aux deux portiques latéraux, dits en dialecte vénitien "Barchesse", qui sont marqués par une colonnade de module et d'extension dorique, parfaitement harmonisée avec l'ensemble.
Le limpide dessin des "Barchesse" qui sont disposées symétriquement en exèdre presque à vouloir signifier un geste symbolique de bienvenue, est la caractéristique principale de cet édifice décidément singulier dans le contexte des oeuvres de Palladio.

Two short balustered wings curve off from the centre landing of the main staircase to the two "barchesse" that are characterized by a Doric colonnade perfectly in harmony with the whole both as regards form and extension.
The limpid lines of the "barchesse", symmetrical exedrae that almost seem a symbolic welcoming embrace, form the characteristic feature of Villa Badoer, making it unique in the whole opus of Palladio.

Villa Badoer, detta "La Badoera"
Porticati / Laubengänge / Arcades / Arcades

VILLA BADOER detta "LA BADOERA"
Loggia

Ampia e luminosa in virtù della grande apertura centrale, la loggia anticipa al visitatore la ricca decorazione pittorica degli interni e mitiga in tal modo la sobrietà dell'esterno.
Oltre che al salone centrale, la loggia dà accesso anche alle due sale laterali.

Großzügig und klar durch die große zentrale Öffnung, gibt der Freisitz dem Besucher einen Vorgeschmack auf die reiche künstlerische Ausschmückung der Innenräume und nimmt dem schlichten Äußeren viel von seiner Strenge.
Außer zu dem Mittelsaal kommt man über den Freisitz auch zu den Seitensälen.

Vaste et lumineuse grâce à la grande ouverture centrale, la loggia laisse prévoir au visiteur la richesse de la décoration picturale des intérieurs, et adoucit la sobriété de l'extérieur.
Elle donne accès non seulement au salon central mais aussi aux deux salles latérales.

Ample and luminous thanks to the huge central opening, the loggia prepares the visitor for the rich pictorial decoration of the interior and, to a certain extent, softens the sobriety of the outside.
The loggia leads not only to the central salon but also into two side rooms.

Villa Badoer, detta ''La Badoera''
Loggia

159

VILLA BADOER detta "LA BADOERA"
Interno / Innenansicht / Intérieur / Interior

La ricca ed interessante decorazione pittorica degli interni — spesso risolta in termini di "grottesca" ma non dimentica anche di allegorie e scene mitologiche — esula completamente dallo stile e dai modi della pittura veneta del Cinquecento. Per stessa indicazione del Palladio, ne è autore certo "Giallo fiorentino dipintor", artista che rimane tuttora sconosciuto nonostante le tante ricerche operate in proposito.

Die reiche und interessante malerische Dekoration der Innenräume, oft aus Grotesken, aber auch aus Allegorien und mythologischen Szenen bestehend, liegt dem Stil und der Art der venezianischen Malerei des XVI. Jahrhunderts völlig fern. Wie Palladio selber behauptet haben soll, ist ein gewisser florentinischer Maler, Giallo, der Urheber der Malereien, aber trotz der vielen, in dieser Richtung angestellten Nachforschungen gibt es keinen Beweis dafür, denn ein Maler namens Giallo ist unbekannt.

La décoration picturale des intérieurs, riche et intéressante, — souvent résolue en termes de grotesque mais aussi avec des allégories et des scènes mythologiques — est complètement en dehors du style et des modules de la peinture vénitienne du XVIᵉ Siècle. Palladio lui-même nous donne l'indication que l'auteur en est un certain "Giallo fiorentino dipintor", artiste qui reste encore de nos jours inconnu, même si de nombreuses recherches ont été faites à ce propos.

The rich and interesting pictorial decoration of the interior — often painted with "grotteschi" but also depicting allegories and mythological scenes — is completely beyond the style and technique of sixteenth century Veneto painters. From Palladio himself we learn that the author was "Giallo, Florentine painter" — however, this artist still remains unknown despite all the research that has been carried out to discover his identity.

Villa Badoer, detta "La Badoera"
Interno / Innenansicht / Intérieur / Interior

161

LA SEGVENTE fabrica è del Magnifico Signor Francefco Badoero nel Polefine ad vn luo go detto la Frata, in vn fito alquanto rileuato, e bagnata da un ramo dell'Adige, oue era anticamente vn Caftello di Salinguerra da Efte cognato di Ezzelino da Romano. Fa bafa à tutta la fabrica vn piedeftilo alto cinque piedi : a quefta altezza è il pauimento delle ftanze : lequali tutte fono in folaro, e fono ftate ornate di Grottefche di bellifsima inuentione dal Giallo Fiorentino. Di fopra hanno il granaro, e di fotto la cucina, le cantine, & altri luoghi alla commodità pertinenti : Le colonne delle Loggie della cafa del padrone fono Ioniche : La Cornice come corona circonda tutta la cafa. Il frontefpicio fopra loggie fa vna bellifsima uifta : perche rende la parte di mezo più eminente de i fianchi. Difcendendo poi al piano fi ritrouano luoghi da Fattore, Gaftaldo, ftalle, & altri alla Villa conueneuoli.

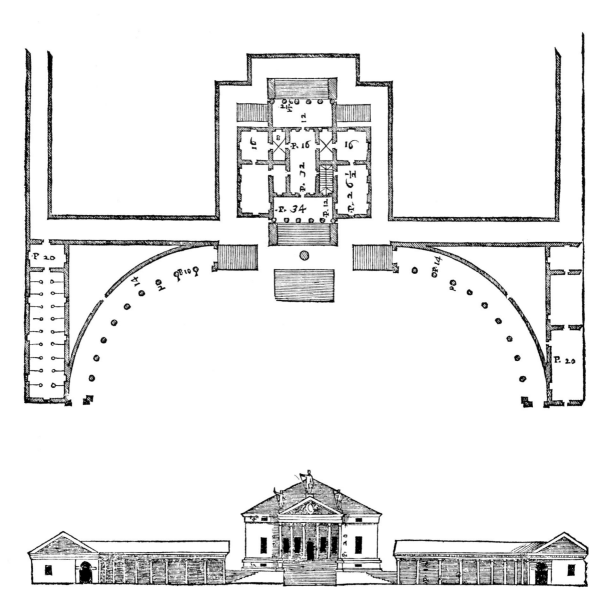

A. Palladio — Descrizione, pianta e alzato di Villa Badoer a Fratta Polesine *(da "I Quattro Libri")*.

162

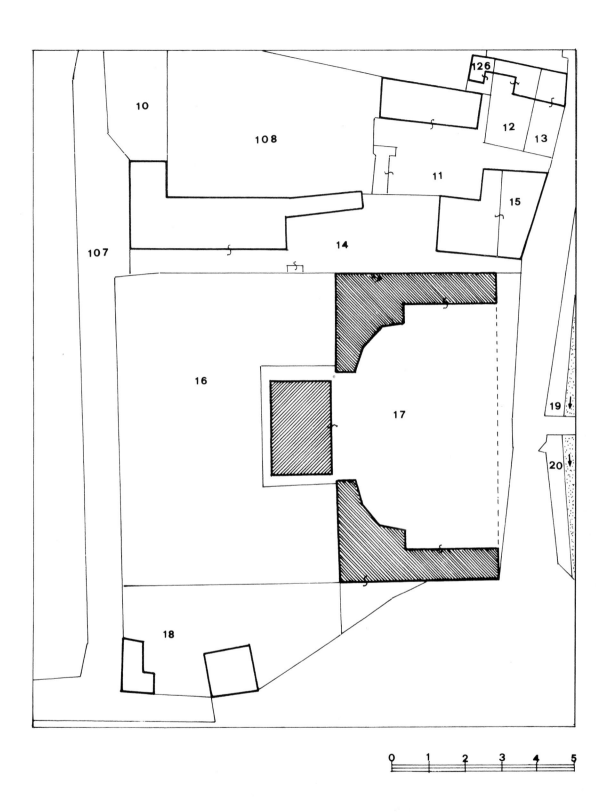

Comune di Fratta Polesine - Sezione unica - Foglio VIII.

163

VILLA REPETA
Campiglia dei Berici (Vicenza)

La Villa originaria fu progettata dal Palladio sul finire del quinto decennio del sec. XVI e realizzata subito dopo: se fedelmente ed integralmente, però, non è dato di sapere, perché tutto venne distrutto dal fuoco prima del 1672. A tale anno risale l'edificio, qui illustrato, che attualmente esiste nel medesimo luogo e che sembra inglobare alcune delle antiche strutture.

Der Orignalentwurf zu dieser Villa wurde von Palladio im fünften Jahrzehnt des XVI. Jhds. in Angriff genommen und kurz darauf verwirklicht. Ob dies originalgetreu und in seiner Ganzheit geschah, ist heute jedoch nicht mehr feststellbar, da das Bauwerk vor dem Jahre 1672 vollkommen abbrannte. Auf dieses Jahr geht in der Tat das hier abgebildete Bauwerk zurück, das heute noch an gleicher Stelle steht und dem einige der antiken Strukturen einverleibt sein mögen.

La Villa originale fut projetée par Palladio vers la moitié du XVIe siècle et réalisée tout de suite après: on ne sait pas pourtant si la réalisation avait été fidèle et complète parce que le feu détruisit tout avant 1672. C'est à cette même année que remonte l'édifice présenté ici qui fut reconstruit au même endroit et qui semble contenir quelques-unes des anciennes structures.

The original Villa was designed by Palladio at the end of the 1540 s and built immediately afterwards: though, if it was true to the Palladian design, we shall never know, because it was completely destroyed by fire before 1672. The present building — shown here — dates to that year. It was erected on the same site and appears to include some of the ancient structures.

Villa Repeta, Bressan

165

LA FABRICA fottopofta è in Campiglia luogo del Vicentino, & è del Signor Mario Repe-ta, ilquale ha efequito in quefta fabrica l'animo della felice memoria del Signor Francefco fuo padre. Le colonne de i portici fono di ordine Dorico: gli intercolunnij fono quattro diametri di colonna: Ne gli eftremi angoli del coperto, oue fi ueggono le loggie fuori di tutto il corpo della cafa, ui uanno due colombare, & le loggie. Nel fianco rincontro alle ftalle ui fono ftanze, delle quali altre fono de-dicate alla Continenza, altre alla Giuftitia, & altre ad altre Virtù con gli Elogij, e Pitture, che ciò di-moftrano, parte delle quali è opera di Meffer Battifta Maganza Vicentino Pittore, e Poeta fingolare: il che è ftato fatto affine che quefto Gentil'huomo, il quale riceue molto uolentieri tutti quelli, che vanno à ritrouarlo; poffa alloggiare i fuoi foreftieri, & amici nella camera di quella Virtù, alla quale efsi gli pareranno hauer più inclinato l'animo. Ha quefta fabrica la commodità di potere andare per tutto al coperto; e perche la parte per l'habitatione del padrone, e quella per l'ufo di Villa fono di vno ifteffo ordine; quanto quella perde di grandezza per non effere più eminente di quefta; tanto que-fta di Villa accrefce del fuo debito ornamento, e dignità, facendofi vguale à quella del Padrone con bellezza di tutta l'opera.

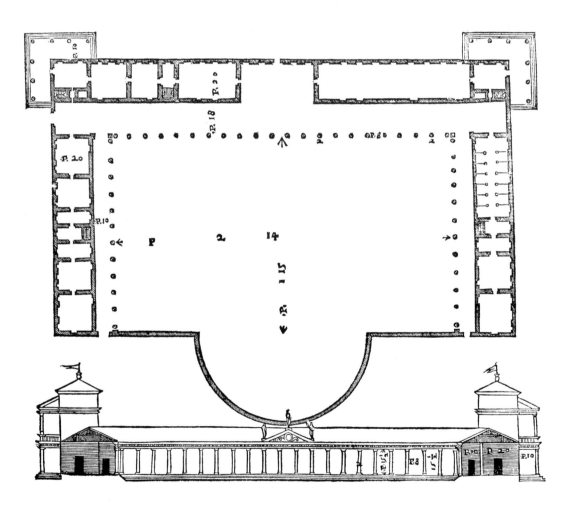

A. Palladio — Descrizione, pianta e alzato di Villa Repeta a Campiglia dei Berici *(da "I Quattro Libri").*

VILLA BARBARO
Maser (Treviso)

Insieme con la vicentina "Rotonda", questa è certo la Villa palladiana più celebrata, quella in cui convergono le più alte espressioni artistiche del Cinquecento veneto: l'architettura di Andrea Palladio, la pittura di Paolo Veronese, la scultura di Alessandro Vittoria; il tutto inserito in un contesto ambientale estremamente gradevole.
Preceduto da un leggero declivio erboso e stagliantesi nettamente sul fondo del vasto parco che lo sovrasta, questo splendido edificio si presenta con i consueti elementi — casa padronale al centro, e porticati e colombare disposti simmetricamente ai lati — che solitamente compongono la palladiana "casa di campagna". Qui però, ogni cosa è trattata in chiave diversa che altrove, e soprattutto con cura insistita e con diffusa raffinatezza, talchè affiora spontanea la sensazione che a Maser si sia inteso mortificare i tradizionali aspetti rustici della Villa in funzione di un miglior recupero della medesima a scopi puramente residenziali secondo l'antico concetto vitruviano.

Zusammen mit der Vicentinischen "Rotonda" ist das sicher die berühmteste Palladianische Villa, die, in der die höchsten künstlerischen Ausdrucksformen des Venezianischen Cinquecento zusammenfliessen: die Baukunst Andrea Palladios, die Malerei eines Paolo Veronese und die Bildhauerei eines Alessandro Vittoria. Dies alles eingebettet in eine höchst anmutige Landschaft.
Mit seinem vorgelagerten leicht abschüssigen großen Rasen hebt sich dieses großartige Bauwerk klar gegen den dahinterligenden Park ab und stellt sich uns mit den üblichen Einzelelementen vor. Herrenhaus im Zentrum, Säulengänge und Taubenschlag symmetrisch den Seiten zugeordnet, so wie sich das Palladianische Landhaus gewöhnlich zeigt. Hier jedoch ist alles unter einem anderen Gesichtspunkt als sonst dargestellt, und vor allem mit besonderer Sorgfalt und stilistischer Feinheit versehen, so, daß man fast das Gefühl hat, in Maser habe man die traditionsreichen rustikalen Aspekte der Villa in den Hintergrund stellen wollen und den reinen Wohncharakter entsprechend der antiken vitruvianischen Lehre wieder zum Leben erwecken wollen.

Avec "la Rotonda" de Vicence, la Villa Barbaro est certainement la Villa Palladienne la plus admirée. Les plus hautes expressions artistiques du XVIe siècle vénitien y convergent: l'architecture de Andrea Palladio, la peinture de Paul Véronèse, la sculpture de Alessandro Vittoria, le tout intégré dans un cadre extrêmement agréable.
Précédé d'une légère pente herbeuse et nettement détaché sur le fond du vaste parc qui le domine, ce splendide édifice se présente avec les éléments qui composent habituellement la "maison de campagne" de Palladio, maison des maître au centre, portiques et colombiers disposées symétriquement sur les côtés. Mais ici, chaque chose est traitée autrement, avec un soin extrême et un raffinement subtil, si bien qu'on a la sensation spontanée qu'on a voulu, à Maser, effacer les aspects rustiques traditionnels de la Villa, pour lui redonner une fonction purement résidentielle, selon l'ancienne idée de Vitruve.

Together with the "Rotonda" situated on the outskirts of Vicenza, this is certainly the most famous Palladian villa. In it all the highest expressions of 16th century Veneto art converge: the architecture of Andrea Palladio, the painting of Paolo Veronese, the sculpture of Alessandro Vittoria and the whole is placed in an extremely attractive setting.

The lawn in front is slightly sloping and the magnificent building stands starkly against the background of a vast park, which dominates it. All the usual elements that characterize a Palladian country-house are contained here; the main dwelling in the centre with porticos and dove-cots placed symmetrically on each side. Here, however, every detail is treated differently than in other villas, and the extreme care and diffuse refinement lead to believe that at Maser, the intention was to subdue the traditional rustic aspect of the Villa in order to increase its importance as a place of residence, according to the ancient Vitruvian idea.

Villa Barbaro

169

VILLA BARBARO

Salone a crociera / Kreuzsaal / Salon croisé / Cruciform salon

Già notevole per l'architettura, questa Villa acquista estremo interesse per la decorazione pittorica degli interni dove Paolo Veronese dipinse, intorno al 1561, il suo più vasto ciclo di affreschi.
Così come in altri celebri edifici palladiani, gli interni comprendono un vasto salone a crocera che si apre verso l'esterno con suggestivi scorci della campagna circostante. Quasi ad integrare le pur ampie vedute naturali, il Veronese dipinse sulle pareti del salone alcuni splendidi paesaggi inquadrati in finte architetture.

Schon auf Grund der reinen architektonischen Leistung bemerkenswert, gewinnt diese Ville zusätzlich außerordentliches Interesse auf Grund der malerischen Innenausstattung, denn hier schuf Paolo Veronese in den Jahren um 1561 seine größte Freskenfolge.
So wie in anderen berühmten palladianischen Bauwerken haben wir auch hier einen großen Kreuzsaal, der allerseits einen eindrucksvollen Ausblick auf die umliegende Landschaft gestattet. Fast so, als ob er den an sich schon weiten natürlichen Ausblick noch untersteichen wolle, schmückte Paolo Veronese die Wände des Mittelsaals mit einigen herrlichen von illusionären Bauwerken eingerahmten Landschaftsgemälden aus.

Déjà remarquable par son architecture, cette Villa acquiert un extrême intérêt grâce à sa décoration picturale intérieure; elle contient en effet le cycle de fresques le plus vaste que Paul Véronèse ait peint vers 1561.
Comme dans d'autres constructions de Palladio, un grand salon croisé s'ouvre vers l'extérieur sur des vues suggestives de la campagne alentour. Et comme s'il avait voulu intégrer ce cadre naturel grandiose, Véronèse peignit sur les murs du salon des paysages splendides, encadrés d'architectures en trompe-l'oeil.

This villa, already outstanding for its architecture, is of great interest for the pictorial decoration of the interior where Paolo Veronese painted, about 1561, his greatest cycle of frescoes.
As in other famous Palladian villas, the most important feature of the interior is a vast cruciform salon from whose windows there are delightful glimpses of the surrounding countryside. Almost as if he wanted to integrate the extensive natural views, Veronese painted on the walls of this salon splendid landscapes enclosed in painted architectural settings.

170

Villa Barbaro
Salone a crociera / Kreuzsaal / Salon croisé / Cruciform salon

VILLA BARBARO
Sala dell'Olimpo / Olympsaal / Salle de l'Olympe / Room of Olympus

Nel suo braccio nord, proprio in corrispondenza degli ingressi dai porticati laterali, il salone a crociera immette in una sala quadrata che rappresenta il vero centro coordinatore di tutti gli interni.
Questa sala, che prospetta sul retrostante Ninfeo, è detta dell'Olimpo per il grande affresco della volta a botte in cui, insieme a divinità e figure simboliche, sono rappresentati alcuni personaggi dell'illustre famiglia Barbaro.

Im nördlichen Flügel fügt sich in gleicher Höhe mit den Eingängen der seitlichen Laubengänge der Kreuzsaal in einen viereckigen Saal, um den sich alle anderen Gemächer gruppieren.
Dieser Saal, der auf den dahinterliegenden Monumentalbrunnen schaut, heißt auf Grund des großen Freskos auf dem Tonnengewölbe mit seinen Göttern, Symbolgestalten und Persönlichkeiten aus der vornehmen Familie Barbaro, Olympsaal.

Dans son bras nord, juste en correspondance avec les entrées des portiques latéraux, le salon croisé donne accès à une salle carrée qui représente le vrai centre coordinateur de toutes les salles intérieures.
Cette salle, qui donne derrière sur le nimphée, est appelée "de l'Olympe" pour la grande fresque de la voûte en berceau où les divinités et les images symboliques, sont représentées en compagnie de certains personnages de l'illustre famille Barbaro.

The north limb of the cruciform salon, in perfect correspondence with the entrances from the side arcades, leads into a square room that is the real coordinating centre of the whole interior.
This room that overlooks the nymphaeum at the back of the house, is called the Room of Olympus because of the huge frescoes in the barrel-ceiling which represent divinities, symbolical figures as well as members of the Barbaro family.

Villa Barbaro
Sala dell'Olimpo / Olympsaal / Salle de l'Olympe / Room of Olympus

VILLA BARBARO

Sale ad ovest / Westliche Säle / Salles à l'Ouest / Rooms to the West

Rispettivamente a destra ed a sinistra della sala dell'Olimpo e perfettamente simmetriche rispetto alla stessa, si aprono le altre stanze del piano nobile. In esse, oltre alle consuete figure allegoriche ed alle divinità pagane, appaiono raffigurazioni proprie della tradizione cristiana.
Le stanze ad ovest si concludono con uno smagliante affresco, posto esattamente in linea con la teoria di porte e rappresentante la donna che secondo la tradizione sarebbe stata amata dal Veronese.

Jeweils rechts und links vom Olympsaal sind symmetrisch die anderen Zimmer des Hauptgeschosses angeordnet. Hier finden wir außer den üblichen allegorischen Gestalten und heidnischen Gottheiten auch der christlichen Tradition eigene Darstellungen.
Abschließend können wir in den Zimmern der Westseite ein blendendes Fresko bewundern, das linientreu mit der Türenreihe angebracht wurde, und das entsprechend der Überlieferung die Geliebte Veroneses darstellt.

Respectivement à droite et à gauche de la salle de l'Olympe et parfaitement symétriques par rapport à celle-ci, s'ouvrent les autres salles du premier étage. On y retrouve non seulement les images allégoriques habituelles et les divinités païennes, mais aussi des représentations de la tradition chrétienne.
Les pièces à l'Ouest se terminent par une fresque splendide, placée exactement dans la ligne de la théorie des portes et représentant la femme que, selon la tradition, Véronèse aurait aimée.

The other rooms of the "piano nobile" open to the right and left of the Room of Olympus and are in perfect symmetry with it. In these, the frescoes not only depict the usual allegorical figures and pagan gods but also themes belonging to the Christian tradition.
In the last of the rooms leading to the west, on the wall exactly opposite the long series of doors is a dazzling fresco dipicting a lady who, according to tradition, was loved by Veronese.

Villa Barbaro
Sale ad ovest / Westliche Säle / Salles à l'Ouest / Rooms to the West

175

VILLA BARBARO

Sale ad est / Östliche Säle / Salles à l'Est / Rooms to the east

Dalla parte opposta della sala dell'Olimpo, cioè ad est, le stanze ripropongono negli affreschi dei soffitti e delle pareti i temi usuali tra fitte partiture architettoniche, paesaggi e finte statue. Sul fondo, contrapposto alla Dama dell'ultima stanza ad ovest e quindi in linea con le porte, campeggia il Gentiluomo con cane, probabile autoritratto del grande pittore.

Auf der dem Olympsaal gegenüberliegenden Seite, d.i. nach Osten, nehmen die Fresken an den Decken und Wänden der Gemächer erneut die üblichen Themen auf: dicht aufeinander folgen Bauwerke, Landschaften und illusionistische Statuen. Im Hintergrund gegenüber der Edelfrau im hintersten westlichen Gemach, linientreu mit der Türreihe, ein Edelmann mit Hund, sehr wahrscheinlich ein Selbstbildnis des großen Künstlers.

Du côté opposé de la salle de l'Olympe, c'est-à-dire à l'Est, les fresques des plafonds et des cloisons reproposent les thèmes habituels — paysage, fausses statues — enfermés dans les épaisses divisions architecturales. Sur le fond, faisant pendant à la Dame de la dernière pièce à l'Ouest, donc en ligne avec les portes, se tient le Gentilhomme au chien, auto-portrait, croit-on, du peintre.

In the rooms on the opposite side of the Room of Olympus, that is to the east, the frescoes on the ceilings and the walls depict the usual themes enclosed in painted architectonic settings, landscapes and "trompe l'oeil" statues. On the far wall, in a direct line with the doors and exactly vis-a-vis the portrait of the lady we have just mentioned, there is another "trompe l'oeil" door — a masterly touch increasing the effect of symmetry. Here there is a painting of a gentleman with a dog, probably a self-portrait of the artist.

Villa Barbaro
Sale ad est / Östliche Säle / Salles à l'Est / Rooms to the east

TEMPIETTO BARBARO

Progettato dal Palladio sullo scorcio della sua vita operosa e realizzato dopo la sua morte, il tempio s'ispira palesemente all'antico Pantheon romano sul quale il Maestro aveva avuto modo di fare gli approfonditi studi riportati al cap. XX dell'ultimo de "I Quattro Libri"; anche qui, infatti, un maestoso pronao s'innesta su di un robusto corpo cilindrico che si conclude con una cupola abbassata ed alta lanterna. Riferiti al modello antico anche i due graziosi campaniletti, i quali hanno chiaramente lo scopo di ammorbidire il brusco passaggio dal pronao al corpo retrostante.

Von Palladio am Ende seines arbeitsreichen Lebens geplant und erst nach seinem Tod verwirklicht, ist der Tempel offensichtlich in Anlehnung an das Pantheon der römischen Antike entstanden, über das unser Meister, wie aus dem XX. Kapitel des letzten Bands der "I Quattro Libri", hervorgeht, so eingehende Studien betrieben hatte. Auch hier wieder die majestätische Vorhalle auf einem kraftvollen zylindrischen Korpus mit niedriger Kuppel und hoher Laterne. Auch die beiden zierlichen Glockentürmchen entsprechen antiken Vorbildern und sollen eindeutig den abrupten Übergang von der Vorhalle zum dahinterliegenden Korpus mildern.

Projeté par Palladio vers la fin de sa vie et réalisé après sa mort, le temple s'inspire clairement de l'ancien Panthéon romain, sur lequel le Maître avait eu la possibilité de faire des études approfondies, mentionnées au chapitre XX du dernier livre des "Quatre Livres de l'Architecture"; ici aussi en effet, un majestueux proanos se rattache à un robuste corps cylindrique qui se termine par une coupole basse et une haute lanterne. Les deux gentils petits clochers se rattachent également au modèle ancien; ils ont le rôle d'adoucir le passage du proanos au corps postérieur.

Designed by Palladio towards the end of his working life and completed after his death, the temple clearly draws inspiration from the ancient Roman Pantheon which he had studied thoroughly, as we see in chapter XX of the last of the "Quattro Libri". Also here, an imposing pronaos has been added to a robust cylindrical core and the temple is crowned by a shallow dome and high lantern. Another Roman touch is the incorporation into the façade of two graceful towers, clearly designed to soften the brusque passage from the pronaos to the main body of the building that rises behind it.

Tempietto Barbaro

179

TEMPIETTO BARBARO

Interno / Innenansicht / Intérieur / Interior

In questo tempietto, ch'è certo una delle sue ultime opere se non addirittura l'ultima, il Palladio realizza un sogno inseguito vanamente da tempo, quello di un edificio religioso a pianta rotonda e sormontato da cupola. Ideale classico, codesto, che dopo il Palladio sarà ripreso e sviluppato da altri artisti. L'interno, ch'è riccamente decorato da stucchi, presenta in corrispondenza degli assi tre grandi nicchie in cui sono collocati gli altari. Belle statue sul fondo delle nicchie ed al centro delle pareti curve del cilindro tra eleganti semicolonne corinzie.

Mit diesem Tempel, sicher eines seiner letzten Werke, wenn nicht gar das letzte selbst, verwirklicht Palladio einen seit langem vergeblich gehegten Traum, d.i. eine Sakralbau mit rundem Grundriß und Kuppeldach. Ein klassisches Idealbild, das nach Palladio von anderen Künstlern aufgenommen und weiterentwickelt werden sollte.
Das Innere ist reich mit Stuckwerk ausgeschmückt und hat in Übereinstimmung mit den Achsen drei große Altarnischen. In den Nischen und im Zentrum der dazwischenliegenden runden Wände sind eingerahmt von eleganten korinthischen Halbsäulen, schöngeformte Statuen zu bewundern.

Dans ce petit temple qui est certainement l'une de ses dernières oeuvres, sinon la dernière, Palladio réalise un rêve vainement poursuivi, celui d'un édifice religieux en plan circulaire surmonté d'une coupole. Un idéal classique qui, après Palladio, sera repris et développé par d'autres artistes.
L'intérieur, richement décoré de stucs, présente, en correspondance des axes, trois grandes niches où sont placés les autels. Sur le fond des niches et au centre des parois incurvées du cylindre se trouvent de belles statues, entre d'élégantes demi-colonnes.

In this little temple which is certainly one of his last works, if not the very last, Palladio realized a dream that had haunted him for some time: that is a church building on a round plan and surmounted by a dome. This classical ideal was to be taken up and developed by other artists after Palladio's death. The interior is richly decorated with stucchi and in correspondance to the axes there are three deep niches which house the altars. Fine statues adorn the back wall of each niche and also the centre of the curved walls of the chapel between elegant Corinthian half-columns.

Tempietto Barbaro
Interno / Innenansicht / Intérieur / Interior

181

TEMPIETTO BARBARO
Cupola / Kuppel / Coupole / The Dome

La cupola del tempietto, così come quella del precitato Pantheon romano, non assume la forma emisferica che sarebbe stata impropria in rapporto ai volumi sottostanti, ma si sviluppa a calotta su di un tamburo ben calibrato. La precede, all'interno, una ricca trabeazione sulla quale corre un'elegante balaustra.

Die Kuppel ist wie ihr römisches Pendant nicht halbkugelförmig, — was im Verhältnis zu der darunterliegenden Masse zu wuchtig gewirkt hätte — sondern eine Flachkuppel auf einer wohlkalibrierten Trommel. Darunter ein schönes Gebälk mit rundum laufender Balustrade.

La coupole du petit temple, comme celle du Panthéon romain déjà mentionné, n'a pas la forme hémisphérique qui aurait été impropre par rapport aux volumes situés au-dessous; elle se développe en calotte sur un tambour bien calibré. La coupole repose à l'intérieur sur un riche entablement où court une élégante balustrade.

The dome of the chapel, like that of the Roman Pantheon, does not take the hemispherical shape that would have been out of keeping with the volume beneath; but it appears as a cap on a finely calibrated tambour. Inside, it is covered by a rich trabeation with an elegant baluster running all round.

Tempietto Barbaro
Cupola / Kuppel / Coupole / The Dome

183

LA SOTTOPOSTA fabrica è à Maſera Villa vicina ad Aſolo Caſtello del Triuigiano, di Monſignor Reuerendiſſimo Eletto di Aquileia, e del Magnifico Signor Marc'Antonio fratelli de' Barbari. Quella parte della fabrica, che eſce alquanto in fuori; ha due ordini di ſtanze, il piano di quelle di ſopra è à pari del piano del cortile di dietro, oue è tagliata nel monte rincontro alla caſa vna fontana con infiniti ornamenti di ſtucco, e di pittura. Fa queſta fonte vn laghetto, che ſerue per peſchiera : da queſto luogo partitaſi l'acqua ſcorre nella cucina, & dapoi irrigati i giardini, che ſono dalla deſtra, e ſiniſtra parte della ſtrada, la quale pian piano aſcendendo conduce alla fabrica ; fa due peſchiere co i loro beueratori ſopra la ſtrada commune : d'onde partitaſi ; adacqua il Bruolo, il quale è grandiſsimo, e pieno di frutti eccellentiſsimi, e di diuerſe ſeluaticine. La facciata della caſa del padrone hà quattro colonne di ordine Ionico : il capitello di quelle de gli angoli fa fronte da due parti : i quai capitelli come ſi facciano ; porrò nel libro de i Tempij. Dall'vna, e l'altra parte ui ſono loggie, le quali nell'eſtremità hanno due colombare, e ſotto quelle ui ſono luoghi da fare i uini, e le ſtalle, e gli altri luoghi per l'vſo di Villa.

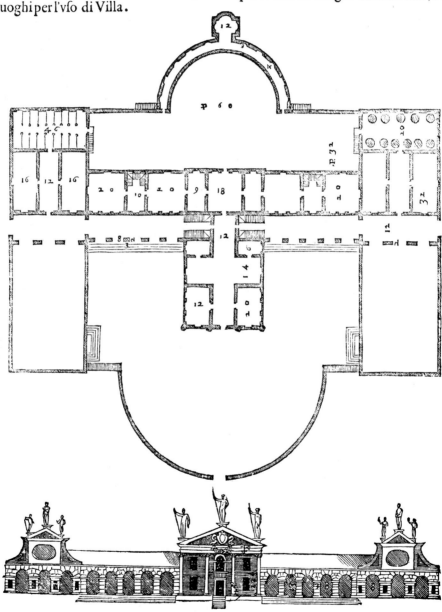

A. Palladio — Descrizione, pianta e alzato di Villa Barbaro a Maser *(da "I Quattro Libri")*.

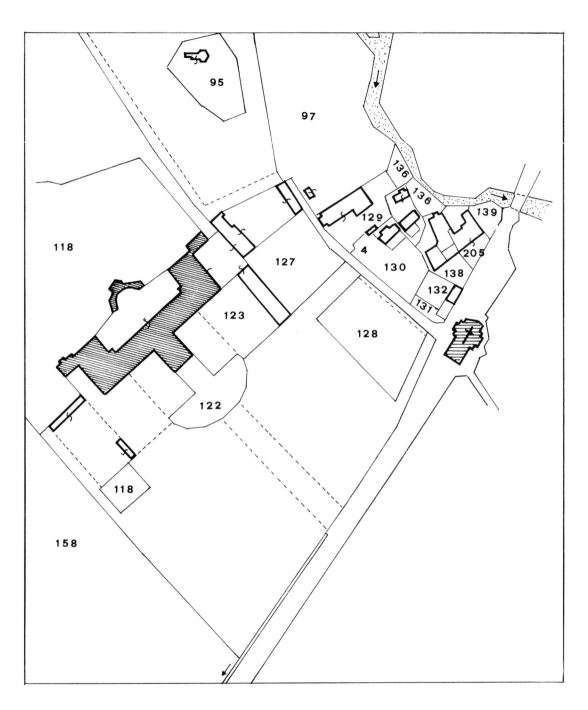

95

97

136 136

139

118

129

205

4

127

130

138

123

132

131

128

122

118

158

Comune di Maser - Sezione C - Foglio IV.

185

VILLA FOSCARI, detta "LA MALCONTENTA"
Gambarare di Mira (Venezia)

Qui giunte dopo un peregrinare non lungo, ma lento e tortuoso, le acque del Canale di Brenta sembrano indugiare tra il verde dei pioppi e dei salici prima di abbandonarsi definitivamente alla silente laguna; e come consapevoli d'un compito loro affidato da estrema sensibilità di sommo artista, colgono e ricreano l'immagine estasiante di un grande pronao, poetico ed insieme solenne, emergente con forza da una sobria parete.

E' invero un'opera assai strana, la Malcontenta: per certi versi risulta incomprensibile o addirittura ostile, e tuttavia la suggestione che da essa promana è sempre intensa.

Auf ihrer nicht langen aber trägen und gewundenen Wanderschaft, scheint das Gewässer der Brenta hier im Grünen unter den Rappeln und Trauerweiden kurz verweilen zu wollen, bevor es sich entgültig der Stille der Lagune anvertraut. Und als ob es sich der ihm von der außerordentlichen Sensibilität eines großen Künstlers anvertrauten Aufgabe bewußt wäre, empfängt es das hinreißende Bild einer großartigen Vorhalle und spiegelt es in seiner ganzen feierlichen Poesie wider, so, wie es aus der schlichten Wand hervortritt.

In der Tat ist es ein seltsames Bauwerk "La Malcontenta". Einerseits gibt es sich unergründlich, gar feindselig, und doch verfehlt der Eindruck, den es wachruft, nie seine tiefgehende Wirkung.

Après avoir erré quelque temps lentement et sinueusement, les eaux du canal du Brenta semblent s'attarder au milieu de la verdure des peupliers et des saules, avant de s'abandonner définitivement à la silencieuse lagune; et comme si elles avaient conscience de la tâche qui leur a été confiée par l'extrême sensibilité du grand artiste, elles cueillent et recréent l'image splendide d'un grand pronaos poétique et à la fois solennel, émergeant avec force d'une sobre façade.

La "Malcontenta" est en effet une oeuvre étrange: par certains côtés elle est incompréhensible ou même hostile, mais la suggestion qui en émane est toujours intense.

The Brenta canal winds its slow way through the Veneto countryside until it reaches this spot where its waters seem to stand still for a while and linger among the green of the poplars and willows before flowing into and becoming part of the silent lagoon. As if aware that a task of extreme delicacy and artistry had been entrusted to them, they receive and mirror the enrapturing image of a huge pronaos, poetic yet at the same time solemn, that vigorously juts out from a severe wall.

The Malcontenta is indeed an unusual work: in some ways it appears incomprehensible or even hostile and yet it always evokes a strong emotion in the beholder.

186

Villa Foscari, detta "La Malcontenta"

VILLA FOSCARI, detta "LA MALCONTENTA"
Pronao / Vorhalle / Pronaos / Pronaos

Il pronao è del tipo esastilo ionico, con intercolumnii anche sui fianchi in luogo del consueto arco rilevato in tante altre opere. Sovrasta il tutto un ben equilibrato frontone dentellato il cui timpano triangolare è perfettamente spoglio.
Rilevante l'altezza dello zoccolo di base, ai lati del quale corrono simmetricamente le due semplici scale a gomito. In corrispondenza degli intercolumnii si aprono la porta centrale del piano terra e le finestre. Tutti i fori, compresi quelli del dado restrostante, sono privi di modanature di contorno, campiti semplicemente nel bugnato leggero che copre perennemente ogni prospetto.
L'edificio fu progettato intorno al 1559-60 e realizzato negli anni immediatamente successivi.

Die sechssäulige ionische Vorhalle, wo statt des üblichen Bogens auch an den Seiten Säulen stehen, wird von einem schön geformten Giebel mit Zahngesims überragt, dessen Giebelfeld vollkommen schmucklos ist.
Seitlich des ansehnlichen Sockels erheben sich symmetrisch zugeordnet zwei schlichte rechtwinklig abgebogene Treppen. In Höhe der seitlichen Säulen der Vorhalle liegen die Eingangstür und die Fenster des Untergeschosses. Alle Fenster, einschließlich der im versetzten Sockel, sind simslos und einfach im schönen Bossenwerk eingelassen, das unweigerlich alle Schauseiten schmückt.
Das Bauwerk wurde in den Jahren um 1559-60 geplant und bald in den darauffolgenden Jahren fertiggestellt.

Le pronaos est de type hexastyle ionique avec des entre-colonnes sur les côtés à la place de l'arcade habituelle remarquée dans beaucoup d'autres oeuvres. Un beau fronton, équilibré et dentelé, avec un tympan triangulaire et complètement nu, domine le tout.
La hauteur du socle de base, où s'insèrent les deux simples escaliers incurvés, est remarquable.
En correspondance avec les entre-colonnes s'ouvrent la porte centrale du rez-de-chaussée et les fenêtres. Toutes les ouvertures, y compris celles du cube postérieur, sont privées de modénatures et sont pratiquées tout simplement dans le bossage léger qui couvre partout chaque façade.
L'édifice fut projeté autour de 1559-60 et réalisé dans les années suivantes.

The pronaos is Ionic hexastyle with intercolumniation even along the sides instead of the usual arch seen in so many of Palladio's other buildings. Crowning the whole pronaos is a beautifully balanced denticulate pediment whose triangular tympanum is completely unadorned.
As the plinth is of considerable height, two curving stairways lead up to it,

188

Villa Foscari, detta "La Malcontenta"

symmetrically placed one at each side of the pronaos. On the ground floor the central door and windows open on to the pronaos in perfect correspondence with the bays of the loggia. All the doors and windows, including those on the dado at the back, are completely devoid of any frame or moulding but are simply set in the slight rustication that covers every façade.
The villa was designed about 1559-60 and completed in the years immediately following.

VILLA FOSCARI, detta "LA MALCONTENTA"

Prospetto a sud-ovest / Südwestliche Schauseite / Façade Sud-ouest / South-west façade

Sul fronte opposto la Villa si apre sorprendentemente in un prospetto completamente diverso, nel quale tuttavia emergono molti legami tesi ad attenuare il contrasto ed a mantenere l'unitarietà dell'insieme: così il paramento in bugnato leggero, così le accentuate fascie marcapiano, così il secondo frontone sulla linea di gronda e così anche i monumentali camini del tetto posti ad imprimere maggiore verticalità.
I fatti salienti di questa facciata sono ancora una volta racchiusi nel settore centrale, di poco emergente dai fianchi, in cui compare il grande frontone spezzato di classica reminiscenza. L'apertura dell'ampia finestra termale e l'addensarsi dei fori al centro sono evidente conseguenza della maggiore richiesta di luce da parte del salone centrale.

Überraschenderweise zeigt die Villa auf der entgegengesetzten Schauseite ein völlig anderes Gesicht, das jedoch eine Reihe von verbindenden Elementen aufzuweisen hat, die den Kontrast mildern und einen einheitlichen Gesamteindruck wahren sollen: die Verkleidung aus schönem Bossenwerk, das markante Gurtgesims, die Wiederholung des Giebels in Dachgesimshöhe und die mächtigen Kamine, die dem Ganzen einen Eindruck von größerem Vertikalismus geben sollen.
Die steigenden Teile dieser Schauseite sind wiederum im leicht hervorspringenden Mittelteil mit seinem großen an der klassischen Antike inspirierten gesprengten Giebel vereinigt. Das geräumige Thermalfenster und die dicht gedrängten Fenster im Mittelteil zeugen eindeutig von einem größeren Bedarf an Helligkeit für den Mittelsaal.

Du côté opposé, la Villa s'ouvre, de manière surprenante, par une façade complètement différente où, toutefois, de nombreux liens atténuent le contraste et maintiennent l'unité de l'ensemble: le bossage léger, les bandes d'étage accentuées, le deuxième fronton sur la ligne d'avant-toit et les monumentales cheminées placées pour insister sur la verticalité.
Les éléments les plus importants de cette façade sont encore une fois regroupés dans le secteur central qui émerge peu des côtés et dont le grand fronton brisé est de réminiscence classique. L'ampleur de la grande fenêtre thermale et les ouvertures qui se pressent au centre indiquent une volonté évidente de donner une plus grande luminosité au salon central.

The rear façade of the Villa is surprisingly different from the front: however, the two façades have certain features in common that tone down the contrast and give unity to the whole. So, the slight rustication of the exterior is conti-

Villa Foscari, detta "La Malcontenta"
*Prospetto a sud-ovest / Südwestliche Schauseite / Façade Sud-ouest /
South-west façade*

*nued, the string-course stands out clearly, a second pediment is built on a line
with the eaves and the tall monumental chimneys on the roof give a sense of
greater verticality.*
*As so often happens in Palladio's buildings, the outstanding features of this
façade are concentrated in the central section that projects slightly from the
sides and culminates in the great classical pediment whose base is broken to
leave space for the huge thermal window. The presence of this, as well as the
concentration of many windows in this central section of the villa, show that
a great deal of light was needed in the central salon.*

VILLA FOSCARI, detta "LA MALCONTENTA"
Salone centrale / Mittelsaal / Salon central / Central salon

L'impianto planimetrico degli interni fa perno sul grandioso salone a forma crociata che si apre sui quattro lati dell'edificio e che rappresenta una tappa significativa — foriera di nuove invenzioni — del genio palladiano. Son qui riproposte, ma in chiave decisamente più ricca sul piano cromatico, la suggestione e la monumentalità degli antichi ambienti termali romani.
La ricca decorazione ad affresco del Salone è dovuta, in parte, all'estroso Battista Franco e, in misura prevalente, a Giambattista Zelotti che qui sviluppa i temi tradizionali delle Stagioni e delle Virtù.

Das Innere der Villa schart sich konzentrisch um den großartigen Saal mit kreuz-förmigem Grundriss, der sich nach allen vier Seiten des Bauwerks öffnet und der eine weitere wichtige Stufe — Vorbote neuer Ideen — in der Entwicklung des palladianischen Genius ist. Wiedererweckt werden sollen hier, selbstver-ständlich unter farblich unvergleichlich reicherem Gesichtspunkt die Ein-drücke und die Großartigkeit, die von den antiken römischen Thermalbädern ausstrahlte.
Die reichen Fresken in diesem Saal verdanken wir teils dem bizarren Charak-ter Battista Francos und vor allem Giambattista Zelotti, der hier die traditions-reichen Themen der Jahreszeiten und großer Heldentaten vorstellt.

Le plan intérieur fait pivot sur le grand salon croisé qui s'ouvre sur les quatre faces du bâtiment et qui représente une étape significative — portatrice de nouvelles inventions — du génie de Palladio. Ici sont reproposées, mais dans une clef décidément plus riche sur le plan chromatique, la suggestion et la grandeur des anciens thermes romains.
La riche décoration et les fresques du salon sont dues à la fantaisie de Battista Franco, et en plus grande mesure à Giambattista Zelotti qui, ici, développe les thèmes traditionnels des Saisons et des Vertus.

The planimetrical lay-out of the interior hinges on the grandiose cruciform salon with windows set into all four sides of the building and represents an important stage — portending new inventions — in the development of Palla-dio's genius. In this room we see how much Palladio was stimulated by the ancient Roman baths in his planning of interior space — but greater richness was added by the use of colour.
Battista Franco, famed for his brio and inspiration, executed some of the fre-scoes in this salon but the majority are the work of Giambattista Zelotti who depicted traditional themes such as the seasons and the Virtues.

192

Villa Foscari "La Malcontenta"
Salone centrale / Mittelsaal / Salon central / Central salon

VILLA FOSCARI, detta "LA MALCONTENTA"

Saletta / Kleiner Saal / La petite salle / Small salon

La decorazione pittorica degli edifici palladiani segue quasi sempre subito — spesso addirittura sotto la direzione dello stesso Palladio — la conclusione dei lavori murari. A quanto risulta, ciò dev'essere accaduto anche alle Gambarare, ed è perciò da ritenere che anche le stanze adiacenti al Salone crociato siano state dipinte nei primi anni del sesto decennio del sec. XVI.
La fotografia mostra la saletta a sud-est con gustose grottesche nella volta a vele e splendidi paesaggi nelle lunette.

Die künstlerische Ausstattung der palladianischen Bauwerke erfolgte fast immer — oft unter der Leitung Palladios selbst — sofort im Anschluß an die Bauarbeiten. Wie erwiesen, muß das auch in Gambarare der Fall gewesen sein, und es ist daher anzunehmen, daß auch die sich an den Kreuzsaal anschließenden Gemächer zu Beginn der sechziger Jahre des XVI. Jhds. ausgemalt wurden.
Auf der Abbildung: der nach Süd-Osten blickende Saal mit amüsanter Groteskenmalerei auf dem Kuppelgewölbe und herrlicher Landschaftsmalerei in den Lünetten.

La décoration picturale de Palladio est presque toujours exécutée immédiatement après les travaux de maçonnerie et souvent sous la direction personnelle du Maître. Il semble que ce doit être aussi le cas de la "Malcontenta": les salles avoisinant le salon croisé ont sans doute été peintes vers 1560.
La photo montre la petite salle au Sud-Est avec d'amusantes grotesques dans la voûte à voiles et de splendides paysages dans les lunettes.

The pictorial decoration of Palladian buildings was almost always carried out — often under the direct supervision of Palladio himself — as soon as the actual building work was finished. As far as we know, this must have happened at Gambarare and, therefore, we believe that the rooms adjoining the cruciform salon were painted in the early 1560's.
The photograph shows the small salon to the south-east with delightful "grotteschi" painted in the ceiling vaults and with splendid landscapes in the lunettes.

194

Villa Foscari, detta "La Malcontenta"
Saletta / Kleiner Saal / La petite salle / Small salon

195

NON MOLTO lungi dalle Gambarare ſopra la Brenta è la ſeguente fabrica delli Magnifici Signori Nicolò, e Luigi de' Foſcari. Queſta fabrica è alzata da terra undici piedi, e ſotto ui ſono cucine, tinelli, e ſimili luoghi, & è fatta in uolto coſì di ſopra, come di ſotto. Le ſtanze maggiori hanno i uolti alti ſecondo il primo modo delle altezze de' uolti. Le quadre hanno i uolti à cupola: ſopra i camerini vi ſono mezati: il uolto della Sala è à Crociera di mezo cerchio: la ſua impoſta è tanto alta dal piano, quanto è larga la Sala: la quale è ſtata ornata di eccellentiſsime pitture da Meſſer Battiſta Venetiano. Meſſer Battiſta Franco grandiſsimo diſegnatore à noſtri tempi hauea ancor eſſo dato principio à dipingere una delle ſtanze grandi, ma ſoprauenuto dalla morte ha laſciata l'opera imperfetta. La loggia è di ordine Ionico: La Cornice gira intorno tutta la caſa, e fa fronteſpicio ſopra la loggia, e nella parte oppoſta. Sotto la Gronda vi è vn'altra Cornice, che camina ſopra i fronteſpicij: Le camere di ſopra ſono come mezati per la loro baſſezza, perche ſono alte ſolo otto piedi.

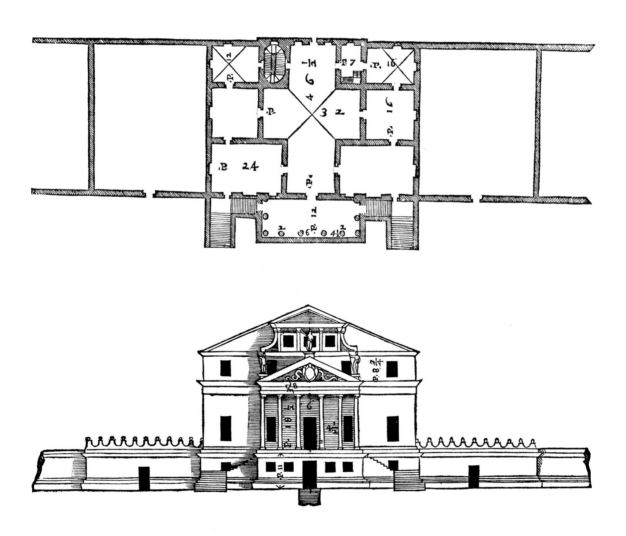

A. Palladio — Descrizione, pianta e alzato di Villa Foscari alle Gambarare di Mira *(da "I Quattro Libri").*

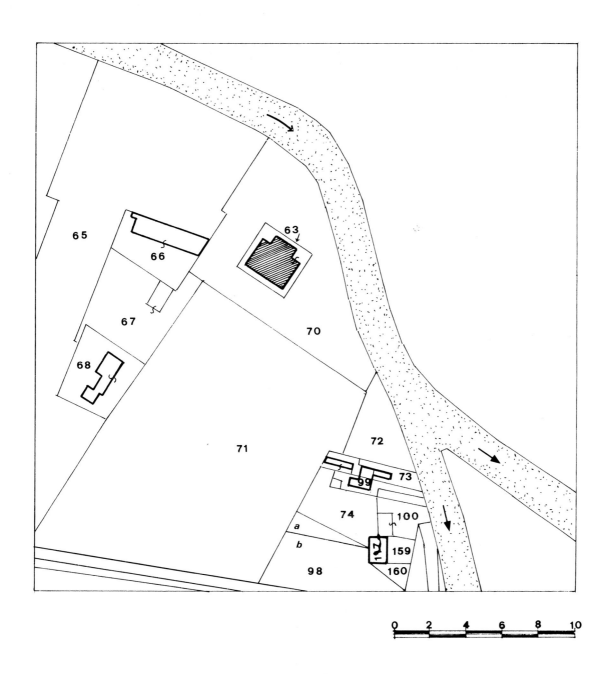

Comune di Mira - Frazione Gambarare - Sezione unica - Foglio 30.

VILLA SAREGO
Miega di Cologna Veneta (Verona)

La costruzione di questa Villa — ch'era stata progettata nel 1562 — iniziò nel 1564, ma proseguì lentamente e con frequenti sospensioni. Il poco realizzato andò col tempo in rovina ed è ora allo stato di rudere.

Der Bau dieser im Jahre 1562 entworfenen Villa wurde im Jahre 1564 in Angriff genommen, kam jedoch nur stockend voran und wurde oft unterbrochen. Das wenige, was verwirklicht wurde, ist heute nur noch in ruinenhaftem Zustand.

La construction de cette Villa — qui avait été projetée en 1562 — commença en 1564, mais elle progressa lentement et avec beaucoup de relâches. Le peu qui en fut réalisé tomba en ruine dans le temps et il n'en reste maintenant que des fragments.

The construction of this Villa — which was designed in 1562 — began in 1564, but proceeded slowly and with frequent interruptions. The little which was completed, was destroyed by time and is now a ruin.

LA FABRICA, che fegue, è del Signor Conte Annibale Sarego ad vn luogo del Collognefe detto la Miga. Fa bafamento à tutta la fabrica vn piedeftilo alto quattro piedi, e mezo ; & a quefta altezza è il pauimento delle prime ftanze, fotto le quali ui fono le Cantine, le Cucine, & altre ftanze pertinenti ad allogar la famiglia : le dette prime ftanze fono in uolto, & le feconde in folaro : apprefſo quefta fabrica ui è il cortile per le cofe di Villa, con tutti quei luoghi che à tal ufo fi conuengono.

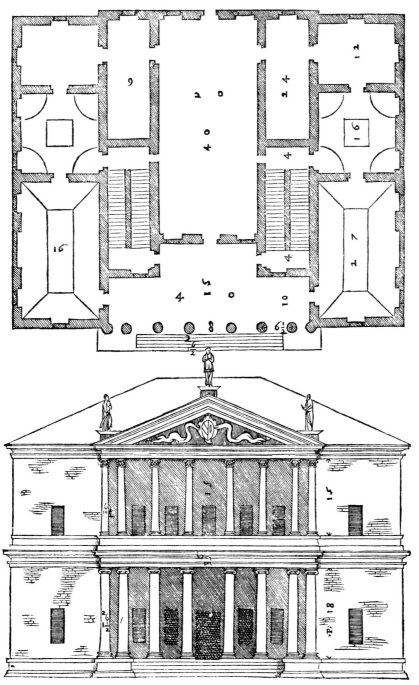

A. Palladio — Descrizione, pianta e alzato di Villa Sarego alla Miega di Cologna Veneta *(da "I Quattro Libri")*.

VILLA MOCENIGO
Marocco di Mogliano Veneto (Treviso)

Realizzata per circa un terzo e con sostanziali modifiche rispetto al progetto palladiano, la costruzione di questa Villa venne sospesa già nel 1562. Quanto rimaneva venne poi disperso nel sec. XIX.

Der Bau dieser gegenüber dem palladianischen Entwurf nur zu einem Drittel und mit tiefgreifenden Abänderungen verwirklichten Villa wurde schon im Jahre 1562 abgebrochen. Was übrigblieb, ging im XIX. Jhd. verloren.

La construction de cette Villa, réalisée pour un tiers environ et avec des changements consistants par rapport au projet palladien, fut interrompue déjà en 1562. Ce qui en restait tomba en ruine au cours du XIXe siècle.

About one third of this Villa was realized with substantial modifications in respect to the Palladian design, and its construction was interrupted in 1562. That which remained was lost during the 19th century.

LA SOTTOPOSTA fabrica è del Clarifsimo Caualier il Signor Leonardo Mocenico ad vna Villa detta Marocco, che fi ritroua andando da Venetia à Treuigi. Le Cantine fono in terreno, e fopra hanno da vna parte i granari, e dall'altra le commodità per la famiglia: e fopra quefti luoghi vi fono le ftanze del padrone, diuife in quattro appartamenti: le maggiori hanno i volti alti piedi ven tiuno, e fono fatti di canne, accioche fiano leggieri: le mediocri hanno i uolti alti quanto le maggiori: le minori, cioè i camerini hanno i loro uolti alti piedi dicefette, e fono fatti à crociera. La loggia di fotto è di ordine Ionico: Nella Sala terrena fono quattro colonne, accioche fia proportionata l'altezza alla larghezza. La loggia di fopra è di ordine Corinthio, & ha il poggio alto due piedi, e tre quarti. Le fcale fono pofte nel mezo, e diuidono la fala dalla loggia, e caminano vna al contrario del l'altra: onde e dalla deftra, e dalla finiftra fi può afcendere, e difcendere, e riefcono molto commode, e belle, e fono lucide à fufficienza. Ha quefta fabrica dai fianchi i luoghi da fare i uini, le ftalle, i portici, & altre commodità all'vfo della Villa appartenenti.

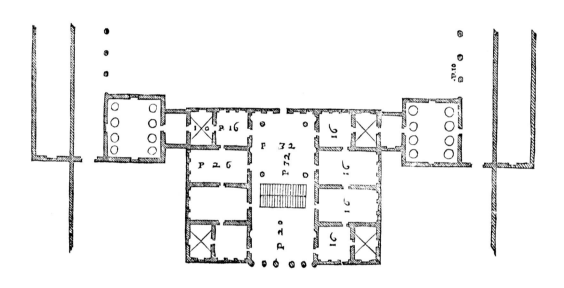

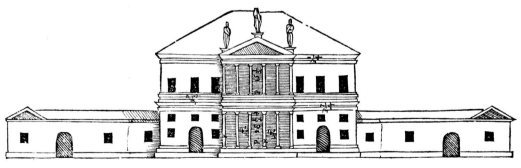

A. Palladio — Descrizione, pianta e alzato di Villa Mocenigo a Marocco di Mogliano Veneto *(da "I Quattro Libri")*.

VILLA VALMARANA, ZEN
Lisiera di Bolzano Vicentino (Vicenza)

Già rallentata sul nascere da consistenti preesistenze di origine quattrocentesca, la costruzione di questa Villa venne sospesa con la morte del committente. Fu ripresa più avanti, nel primo Seicento, ma del progetto palladiano venne realizzata solo la loggia inferiore del prospetto meridionale. Pesantemente bombardato nel 1945 e semidistrutto, l'edificio è stato ora ricostruito.

Schon zu Beginn der Bauarbeiten durch gehaltvolle Funde aus dem XV. Jhd. in Verzug gekommen, kam der Bau dieser Villa mit dem Tod des Bauherrn völlig zum Stillstand. Später, im XVII. Jhd., wurden die Bauarbeiten wieder aufgenommen, von dem palladianischen Entwurf jedoch wurde nur die untere Loggia in der südlichen Schauseite verwirklicht. 1945 wurde das Gebäude bei einem Bombenangriff zur Hälfte zerstört, anschließend jedoch wiederaufgebaut.

Déjà ralentie à son commencement par la préexistance de constructions du XVe siècle, la construction de cette Villa fut interrompue après la mort du propriétaire. Elle fut reprise plus tard, au début du XVIIe, mais du projet palladien on ne réalisa que la loggia inférieure de la façade méridionale. Gravement atteint par les bombardaments en 1945 et à moitié détruit, cet édifice a été recemment reconstruit.

The building of this Villa, which at the beginning suffered long delays due to the presence of many pre-existing 15th century remains, was suspended with the death of the man who has ordered its construction. It was continued later, at the beginning of the 17th century, but of the Palladian design only the lower loggia of the southern façade was realized. Heavily bombed in 1945 and very badly damaged, the Villa has since been rebuilt.

Villa Valmarana, Zen

203

A LISIERA luoco propinquo à Vicenza è la feguente fabrica edificata già dalla felice memo
ria del Signor Gio.Francefco Valmarana. Le loggie fono di ordine Ionico : le colonne hanno fotto vna bafa quadra,che gira intorno à tutta la cafa : à quefta altezza è il piano delle loggie, e delle ftan
ze,le quali tutte fono in folaro : ne gli angoli della cafa ui fono quattro torri : le quali fono in uolto : la
fala anco è inuoltata à fafcia : Ha quefta fabrica due cortili,vno dauanti per ufo del padrone, e l'altro
di dietro,oue fi trebbia il grano,& ha i coperti,ne' quali fono accommodati tutti i luoghi pertinenti
all'ufo di Villa.

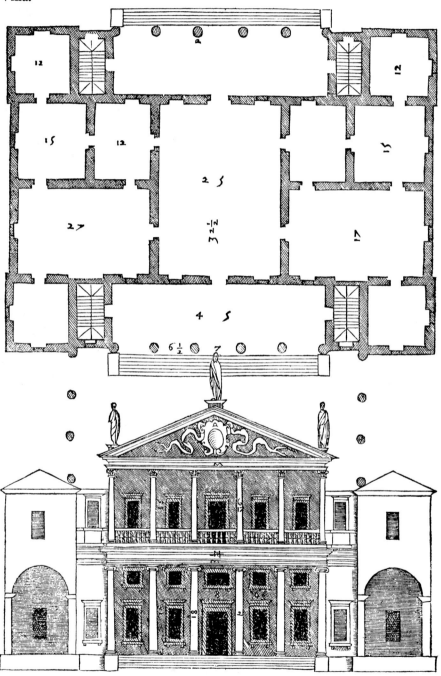

A. Palladio — Descrizione, pianta e alzato di Villa Valmarana a Lisiera di Bolzano Vicentino *(da "I
Quattro Libri")*.

204

VILLA EMO
Fanzolo di Vedelago (Treviso)

In tutto fedele al concetto di Villa più volte espresso, il Palladio persegue a Fanzolo una mirabile fusione tra elementi classici, volti a soddisfare le esigenze rappresentative del committente, ed elementi rustici intesi a far fronte a necessità di carattere funzionale.

La Villa, ideata intorno al 1564 ed eretta nel decennio successivo, presenta al centro il corpo padronale ed ai lati due simmetriche "barchesse" con colombare alle estremità. Tutti gli elementi sono trattati con notevole semplicità e legano conseguentemente tra di loro in modo armonico; l'unico spunto a se stante, peraltro intenzionale perchè destinato ad esercitare una funzione di perno e di guida, è il settore mediano del corpo padronale dove s'apre un solenne pronao tetrastilo preceduto da ampia scalea e sormontato da frontone con l'arma e le fame nel timpano.

Ganz im Sinne der schon mehrfach zum Ausdruck gebrachten Auffassung einer Villa verfolgt Palladio in Fanzolo eine erstaunliche Fusion von klassischen, den rapräsentativen Erfordernissen des Bauherrn entsprechenden und rustikalen, den praktischen Notwendigkeiten genügetuenden Elementen.

Die in den Jahren um 1564 geplante und im darauffolgenden Jahrzehnt gebaute Villa stellt sich uns mit dem Herrenhaus in der Mitte und seinen seitlich symmetrisch zugeordneten "Barchesse" mit anschließendem Taubenschlag vor. Alle Einzelelemente fügen sich in ihrer außerordentlichen Schlichtheit zu einem harmonischen Gesamtbild. Einziger hervorstechender Blickpunkt ist, und das mit Absicht, da Brennpunkt des Ganzen, der Mittelteil des Herrenhauses mit seiner feierlichen viersäuligen Vorhalle zu der eine großartige Freitreppe führt und die von einem Giebel, in dessen Feld Wappen und Schildhalter zu sehen sind, gekrönt wird.

Fidèle à la conception de Villa exprimée plus d'une fois, Palladio poursuit, à Fanzolo, une admirable fusion entre les éléments classiques, destinés à satisfaire les exigences de prestige du client, et les éléments rustiques imposés par les nécessités de caractère fonctionnel.

La Villa, projetée vers 1564 et construite dans les dix années successives, présente au centre le corps destiné au maître et, sur les côtés, deux "barchesse" symétriques avec des colombiers aux extrêmités. Tous les éléments sont traités avec beaucoup de simplicité et d'harmonie; le seul qui se détache, pour exercer une fonction de pivot et de guide, est le secteur médian du corps des maîtres où s'ouvre un solennel pronaos tétrastyle précédé d'un grand escalier et surmonté d'un fronton orné, dans le tympan, d'armes et de Renommées.

Faithful to the concept of Villa, Palladio at Fanzolo achieved a remarkable fusion of classical elements that would satisfy the most refined requirements of his patron and rustic elements that were necessary for the practical running of the estate. The Villa, designed about 1564, took about ten years to com-

plete. In the centre there is the dwelling-house flanked by two symmetrical ''barchesse'', each ending in a dovecot. All the features are treated with remarkable simplicity and knit together harmoniously: the only jarring note — which was, however, intentional as it was conceived as the central pivot — is the appearance right in the centre of the dwelling-house of a solemn tetrastyle pronaos preceded by a wide flight of steps and surmounted by a pediment with the family coat of arms and statues of Fame in the tympanum.

Villa Emo

VILLA EMO
Barchessa

La Villa sorge al centro di una vastissima tenuta all'interno della quale proietta per lungo tratto i viali che da essa si dipartono. Ne consegue una presenza immanente su di un vasto territorio, che viene in tal modo calamitato dalla Villa e subordinato alla guida della medesima.
Che la Villa, del resto, assuma e svolga il ruolo di centro coordinatore di attività agricole, è palese; e ne è conferma diretta la vastità delle barchesse, le quali, pur destinate ad usi rustici, si aprono sul davanti con porticati eleganti e luminosi.

Die Villa liegt inmitten eines riesigen Landguts und dominiert noch lange auf allen Wegen und Straßen: eine Allgegenwärtigkeit im Innern einer weitläufigen Landschaft, deren Mittelpunkt, dem sich alles andere unterordnet.
Daß die Villa andererseits ein Koordinationszentrum landwirtschaftlicher Tätigkeit sein sollte, ist offenkundig. Zeugen dafür sind die geräumigen Barchesse, die, obgleich zu landwirtschaftlichen Zwecken bestimmt, elegante und freundliche Laubengänge haben.

La Villa, d'où rayonnent de très grandes allées, se trouve au centre d'une grande propriété. Il en émane une présence persistante sur un vaste territoire qui semble aimanté et dirigé par la Villa elle-même.
Il est d'ailleurs manifeste qu'elle joue le rôle de centre coordonnateur des activités agricoles comme en témoignent les dimensions des ''Barchesse'' qui, bien que répondant à des nécessités rustiques, s'ouvrent par des portiques élégants et lumineux.

The Villa is situated in the middle of a huge estate crossed by a network of paths that radiate from the house. Therefore, it presides over a vast territory that depends on and is subordinate to the Villa.
It is clear, therefore, that the Villa acts as a co-ordinating centre for all the farming activity and proof of this is given by the great size of the ''barchesse'' which, although distinctly agricultural in intention, are fronted with elegant luminous colonnades.

Villa Emo
Barchessa

209

VILLA EMO
Salone centrale / Mittelsaal / Salon central / Central salon

Elegante ma sostanzialmente sobria all'esterno, la Villa assume all'interno un tono decisamente fastoso; tutte le pareti del piano nobile sono infatti decorate da affreschi di Giambattista Zelotti, che qui riesce ad esprimere forse i suoi accenti migliori.
Particolarmente ricca e pregevole la serie di affreschi del grande salone centrale dove, tra finte colonne corinzie, sono raffigurati episodi di virtù romana e varie divinità.

So elegant und schlicht, wie sich die Villa von außen gibt, so prunkvoll zeigt sie sich in ihrem Inneren. Alle Wände des Hauptgeschosses sind in der Tat von Giambattista Zelotti mit Fresken bemalt, der hier wohl den Höhepunkt seines Schaffens erreicht hat. Besonders reich und prunkvoll ist die Fresken-folge des großen Mittelsaals, wo zwischen illusionistischen korinthischen Säu-len Episoden von römischen Heldentaten und heidnischen Gottheiten abbge-bildet sind.

Elégante mais sobre à l'extérieur, la Villa a un ton décidément fastueux à l'intérieur; tous les murs du premier étage sont en effet décorés par des fres-ques de Giambattista Zelotti, qui ici atteint peut-être ses meilleurs résultats. La série de fresques du grand salon central qui, entre de fausses demi-colonnes, présente des épisodes de vertu romaine et d'autres divinités, est par-ticulièrement riche.

Elegant but basically sombre on the outside, the Villa inside takes on a decidedly magnificent tone: all the walls on the ''piano nobile'' are in fact decorated with frescoes by Giambattista Zelotti who perhaps carried out his best work here. Particularly rich and valuable is the series of frescoes in the large central salon where episodes illustrating the Roman Virtues as well as various pagan gods are depicted between ''trompe l'oeil'' Corinthian columns.

Villa Emo
Salone centrale / Mittelsaal / Salon central / Central salon

211

VILLA EMO

Salone centrale / Mittelsaal / Salon central / The central salon

La fotografia mostra un'altra parete del salone centrale, con al centro, sopra la porta, l'affresco illustrante la "Generosità di Scipione". A questo fa riscontro, sulla parete opposta, l'affresco con l'episodio cristiano dell'"Uccisione di Virginia".
Certamente su indicazione del Palladio, sempre preoccupato di garantire un equilibrato convivere tra architettura e pittura, tutta la decorazione di Villa Emo si sviluppa secondo un registro estremamente semplice.

Auf der Abbildung eine weitere Wand des Mittelsaals mit in der Mitte, über der Tür, einem die "Großherzigkeit Scipios" darstellenden Fresko. Dem entspricht auf der gegenüberliegenden Seite ein Fresko christlichen Inhalts mit der "Ermordung der Virginia".
Sicherlich auf Wunsch Palladios, der stets darauf bedacht war, ein ausgeglichenes Zusammenleben von Architektur und Malerei zu wahren, hält sich die künstlerische Ausstattung der Villa Emo in betont schlichtem Stil.

La photo montre une autre paroi du salon central, avec, au dessus de la porte, la fresque qui représente la "Générosité de Scipion". Sur le mur d'en face s'oppose la fresque illustrant l'épisode chrétien du "Meurtre de Virginie".
Certainement sur le conseil de Palladio lui-même, constamment préoccupé de garantir l'équilibre architecture-peinture, toute la décoration de Villa Emo s'exprime sur un ton extrêmement simple.

The photograph shows another wall in the central salon: in the centre above the door we see the fresco depicting the "Generosity of Scipio". Balancing this on the opposite wall, another fresco represents the Christian episode of the "Killing of Virginia".
All the decoration in Villa Emo is extremely simple and this was certainly in adherence to the wishes of Palladio who was always anxious to guarantee a balanced harmony between architecture and painting.

Villa Emo
Salone centrale / Mittelsaal / Salon central / Central salon

213

VILLA EMO

Stanza di Venere / Venuszimmer / Chambre de Vénus / The room of Venus

Le quattro stanze poste a fianco del salone centrale e della loggia sono affrescate con i consueti temi — tratti dall'antica mitologia e dalla tradizione cristiana — esaltanti le arti e le virtù.
Nella stanza a destra del salone, gli affreschi illustrano alcuni episodi dell'amore tra Venere ed Adone.

Die vier sich an den Mittelsaal und den Freisitz anschließenden Räume sind mit den üblichen Themen aus der Mythologie und der christlichen Überlieferung ausgemalt und verherrlichen die Künste und die Tugenden.
In dem Gemach rechts neben dem Mittelsaal bewundern wir Fresken mit Episoden, die die Liebe Adonis zu Venus darstellen.

Les quatre pièces à côté du salon central et de la loggia présentent des fresques dont les thèmes habituels — pris de la mythologie ancienne et de la tradition chrétienne — exaltent les arts et les vertus.
Dans la pièce à droite du salon, les fresques illustrent certains épisodes de l'amour entre Vénus et Adonis.

The frescoes in the four rooms placed at the side of the central salon and the loggia represent the usual themes — taken both from classical mythology and from Christian tradition — exalting the arts and the virtues.
In the room to the right of the salon, the frescoes illustrate episodes showing the love of Venus and Adonis.

Villa Emo
Stanza di Venere / Venuszimmer / Chambre de Vénus / The Room of Venus

215

A FANZOLO Villa del Triuigiano difcofto da Caftelfranco tre miglia, è la fottopofta fabrica del Magnifico Signor Leonardo Emo. Le Cantine, i Granari, le Stalle, e gli altri luoghi di Villa fono dall'vna, e l'altra parte della cafa dominicale, e nell'eftremità loro vi fono due colombare, che
apportano utile al padrone, & ornamento al luogo, e per tutto fi può andare al coperto: ilche è vna
delle principal cofe, che fi ricercano ad vna cafa di Villa, come è ftato auertito di fopra. Dietro à
quefta fabrica è vn giardino quadro di ottanta campi Triuigiani: per mezo il quale corre vn fiumicel
lo, che rende il fito molto bello, e diletteuole. E' ftata ornata di pitture da M. Battifta Venetiano.

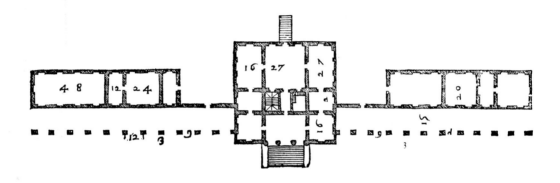

A. Palladio — Descrizione, pianta e alzato di Villa Emo a Fanzolo di Vedelago *(da "I Quattro Libri")*.

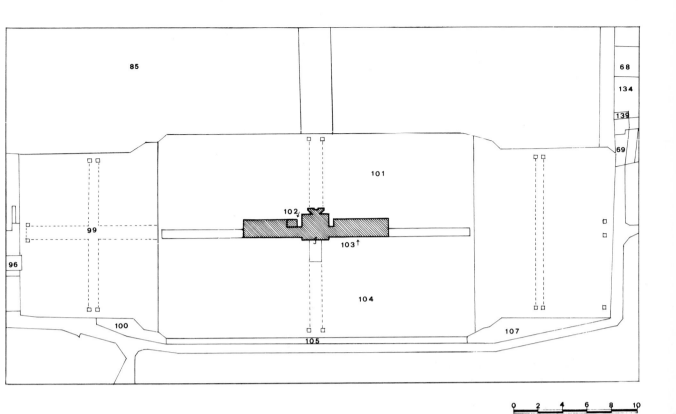

Comune di Vedelago - Frazione Fanzolo - Sezione A - Foglio XIII.

217

VILLA MOCENIGO "SOPRA LA BRENTA"
Dolo (Venezia)

Il progetto, estremamente ambizioso e quasi utopistico, sembra suggerito più da virtuosismo accademico che da concreta intenzione: esso non venne forse mai realizzato, ma non è del tutto escluso che la Villa in questione coincidesse in qualche misura con quel "Palazzo Grimani sotto il Dolo" che il Coronelli pubblicò nel 1709 e che venne poi distrutto alla fine del secolo scorso.

Dieser außerordentlich anspruchsvolle fast utopische Entwurf scheint mehr aus akademischer Virtuosität als aus kronkreter Absicht entstanden zu sein. Absicht entstanden zu sein. Vielleicht wurde er nie verwirklicht. Es ist jedoch nicht völlig von der Hand zu weisen, daß die in Frage kommende Villa zum Teil mit dem sogenannten "Palazzo Grimani sotto il Dolo" identisch ist, den Coronelli im Jahre 1709 veröffentlichte und der Ende des letzten Jahrhunderts zerstört wurde.

Ce projet, extrêmement ambitieux et presque utopique, semble plus suggéré par une virtuosité académique que par une intention concrète: il ne fut probablement jamais réalisé, mais il se peut que la Villa en question coincidât en quelque sorte avec ce "Palais Grimani sous le Dolo" que Coronelli publia en 1709 et qui fut ensuite détruit à la fin du siècle dernier.

The plan of this Villa, extremely ambitious and almost utopian, seems to have been inspired by academic virtuosity rather than a true intention of building it: it was never built, but it cannot be completely excluded that the Villa in question coincided to some extent with that "Palazzo Grimani sotto il Dolo" which Coronelli published in 1709 and which was destroyed at the end of the last century.

A. Palladio — Descrizione, pianta e alzato di Villa Mocenigo a Dolo *(da "I Quattro Libri").*

FECI à requifitione del Clariff.Caualier il Sig.Leonardo Mocenico la inuentione,che fegue per
vn fuo fito fopra la Brenta. Quattro loggie : le quali come braccia tendono alla circonferenza; paiono
raccoglier quelli,che alla cafa fi approffimano,à cáto à quefte loggie ui fono le ftalle dalla parte dináti,
che guarda fopra il fiume ; & dalla parte di dietro le cucine, & i luoghi per il Fattore,& per il Gaftaldo.
La loggia che è nel mezo della facciata,è di fpeffe colonne,lequali perche fono alte xl.piedi ; hanno di
dietro alcuni pilaftri larghi due piedi,e grofsi vn piede & un quarto,che foftentano il piano della fecon
da loggia,e più a dentro fi troua il cortile circondato da loggie di ordine Ionico : I portici fono larghi
quanto è la lunghezza delle colonne,meno un diametro di colonna: Della iftessa larghezza fono ancho le loggie,e le ftanze,che guardano fopra i giardini : acciò che'l muro , che diuide un membro dal-
l'altro fia pofto in mezo per foftentare il como del coperto . Le prime ftanze farebbono molto commo
de al mangiare,quando ui interueniffe gran quantità di perfone : e fono di proportione doppia.Quelle
de gli angoli fono quadre,& hanno i uolti à fchiffo,alti alla impofta,quanto è larga la ftanza ; & hanno
di freccia il terzo della larghezza. La Sala è lunga due quadri, e mezo , le colonne ui fono pofte per
proportionare la lunghezza,e la larghezza,all'altezza,e farebbono quefte colonne folo nella Sala terrena,perche quella di fopra farebbe tutta libera. Le colonne delle loggie di fopra del cortile,fono la
quinta parte più picciole di quelle di fotto,e fono di ordine Corinthio . Le ftanze di fopra fono tanto
alte,quanto larghe . Le Scale fono in capo del cortile,& afcendono una al contrario del l'altra.

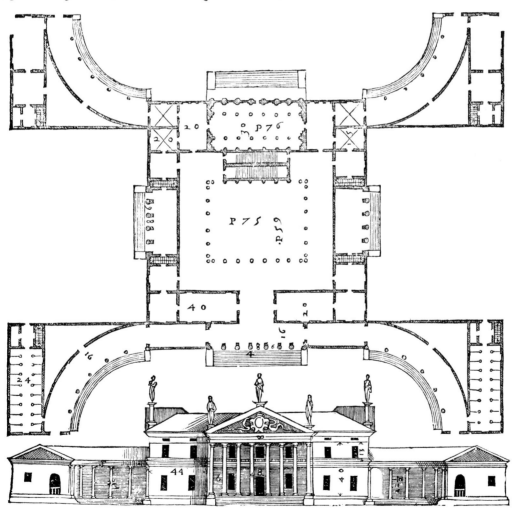

E CON quefta inuentione fia à laude di DIO pofto fine à quefti due libri, ne' quali con quella
breuità che fi è potuto maggiore,mi fono ingegnato di porre infieme, & infegnare facilméte con paro
le,e con figure,tutte quelle cofe,che mi fono parfe più neceffarie,& più importanti per fabricar bene,&
fpecialmente per edicare le cafe priuate,che in fe contengano bellezza,& fiano di nome , & di commodità à gli edificatori.

VILLA ZENO, GALLARATI SCOTTI
Donegal di Cessalto (Treviso)

Quanto realizzato è anche in questo caso assai poco in rapporto a quanto inizialmente previsto: solo l'edificio padronale, che, a quanto pare, non fu neppure mai terminato e subì inoltre notevoli modifiche formali con l'allungamento dei fori superiori e la chiusura della grande finestra termale sul prospetto sud.
Delle attuali adiacenze, solo parte di quella a sud-ovest sembra appartenere al complesso originario.

Auch hier ist der Teil, der gegenüber dem Originalentwurf zur Verwirklichung kam, verschwindend gering. Nur der Herrensitz, der, so scheint, nie vollendet wurde und darüberhinaus beachtlichen Formänderungen unterlag — die oberen Öffnungen wurden in die Länge gezogen und das große Thermalfenster in der südlichen Schauseite wurde zugemauert — wurde in Angriff genommen. Von den heutigen Anwesen scheint nur der nach Süd-Osten gehende Teil zum Originalkomplex zu gehören.

Ce qui a été réalisé est, dans ce cas aussi, très peu par rapport au projet initial: on ne réalisa que le corps principal qui, à ce qu'il semble, ne fut jamais terminé et subit en outre des modifications considérables avec l'allongement des ouverture supérieures et la fermeture de la grande fenêtre thermale sur la façade sud. Des annexes actuels seulement une partie de la zone sud-ouest semble faire partie du projet original.

In the case of this Villa too, what has been built is very little compared to what was originally planned: only the main building, which, it seems, was never finished either, and moreover underwent notable modifications with the elongation of the upper windows and the closing of the large thermal window on the façade facing south. Of the present adjoining buildings, only a part of the one on the south west side appears to belong to the original Villa complex

Villa Zeno, Gallarati Scotti

221

IL MAGNIFICO Signor Marco Zeno ha fabricato fecondo la inuentione, che fegue in Ce-
falto luogo propinquo alla Motta, Caftello del Triuigiano. Sopra vn bafamento, il quale circonda
tutta la fabrica, è il pauimento delle ftanze: lequali tutte fono fatte in uolto: l'altezza de i uolti delle
maggiori è fecondo il modo fecondo delle altezze de' volti. Le quadre hanno le lunette ne gli angoli, al diritto delle fineftre: i camerini appreffo la loggia, hanno i uolti à fafcia, e cofi ancho la fala: il
volto della loggia è alto quanto quello della fala, e fuperano tutti due l'altezza delle ftanze. Ha quefta fabrica Giardini, Cortile, Colombara, e tutto quello, che fa bifogno all'ufo di Villa.

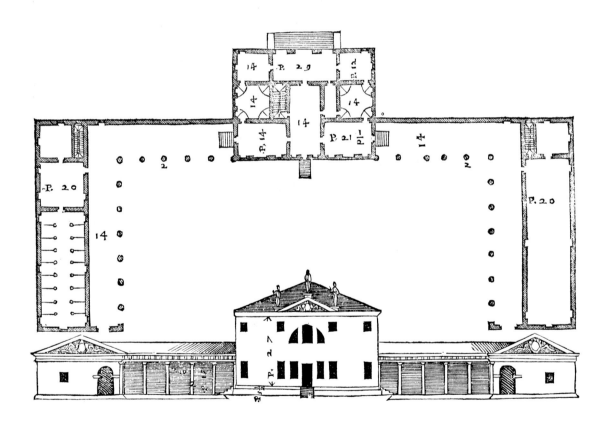

A. Palladio — Descrizione, pianta e alzato di Villa Zeno al Donegal di Cessalto *(da "I Quattro Libri")*.

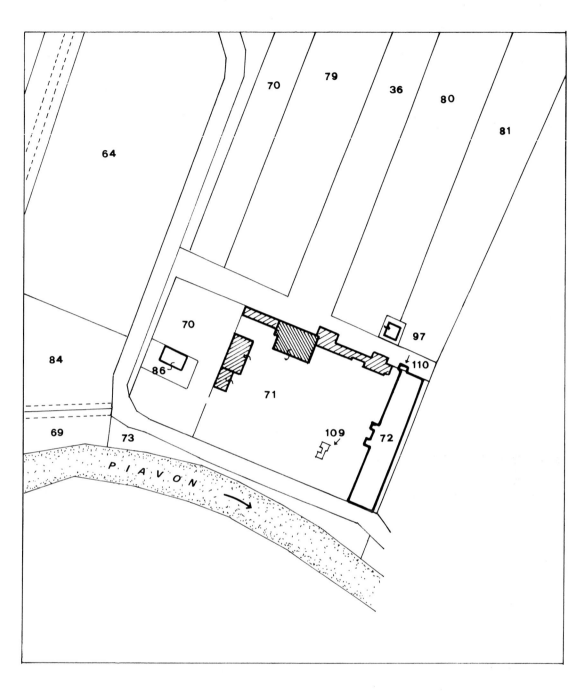

Comune di Cessalto - Frazione Donegal - Sezione A - Foglio IX.

VILLA ALMERICO, poi CAPRA,
ora VALMARANA, detta "LA ROTONDA"
Vicenza

E' certamente l'opera palladiana più nota e più celebrata in tutto il mondo, quella da sempre citata quale simbolo dell'arte del grande Maestro.

Progettata intorno al 1567 per conto del dotto canonico Paolo Almerico e conclusa solo all'inizio del sec. XVII, la Villa sorge a breve distanza da Vicenza sulla sommità di un piccolo colle, in posizione non elevata ma assai dominante.

Nella Rotonda il Palladio persegue, con totale successo, l'idea della villatempio propria del classicismo romano e così vicina al sentire del nuovo umanesimo rinascimentale: villa-tempio come sede ideale per l'esercizio delle più alte discipline del tempo quali la letteratura, la filosofia, l'arte e le scienze. Ecco allora, certo innescata da tali finalità, la scelta decisa di elementi sacrali quali la cupola ed il pronao; ed ecco pure la scelta, altrettanto perentoria, di subordinare ogni elemento ad un perno centrale secondo le indicazioni che altri grandi del tempo (Leonardo, Bramante, Michelangelo) avevano espresso in famosi edifici religiosi.

Pur nei limiti inevitabili posti da una committenza privata, non molto ricca anche se fortunatamente colta e sensibile, il Palladio raggiunge in questa Villa i suoi più alti traguardi d'arte e di poesia.

Articolata intorno al salone centrale a pianta rotonda (donde il nome che subito fu dato all'edificio) e sormontata da cupola, la Villa presenta all'esterno un robusto cubo al centro delle cui facciate s'innestano quattro solenni pronai esastili ionici preceduti da maestose gradinate. I pronai, perfettamente uguali, sono sormontati da elegante frontone dentellato e con statue sugli acroteri, e legano sui fianchi col dado retrostante mediante solidi archi. Il tutto è improntato da massima semplicità, che nulla toglie alla monumentalità dell'edificio, ma che al medesimo conferisce anzi maggior vigore poetico.

Proprio all'esterno, e precisamente al centro, la Villa non presenta la grande cupola emisferica che il Palladio aveva previsto nel suo progetto e che avrebbe dovuto esercitare su tutto il complesso la perentoria funzione di perno centrale. Purtroppo la copertura fu completata quando il Maestro era già morto da tempo, e chi gli successe nella direzione dei lavori — il pur insigne Vincenzo Scamozzi — non ebbe evidentemente il coraggio e la sensibilità di attuare l'ardita concezione originale. E' da dire, però, che la calotta attuale, pur mortificando il sogno palladiano, attenua sensibilmente il brusco stacco che la cupola avrebbe generato nel suo prepotente emergere da un tetto così leggermente inclinato.

Villa Almerico, poi Capra, ora Valmarana, detta "La Rotonda

Zweifelsohne ist dies das bekannteste und berühmteste Bauwerk Palladios, ein Bauwerk, das beispielhaft schon immer als Symbol der Kunst des großen Meisters gilt.

1567 von dem gelehrten Kanoniker Paolo Almerico in Auftrag gegeben, aber erst zu Beginn des XVII. Jhds. fertiggestellt, erhebt sich diese Villa unweit von Vicenza auf dem Gipfel einer kleineren Anhöhe. Nicht hoch und dennoch dominierend.

Bei der Rotonda ergibt sich Palladio, und das mit vollem Erfolg, der Idee eines Wohntempels, so wie er es aus der römischen Antike gelernt hatte, und was so ganz dem neuen humanistischen Gefühl der Renaissance entsprach. Ein Wohntempel als idealer Sitz der höchsten Künste seiner Zeit, der Literatur, der Philosophie, der Kunst und der Wissenschaft. Und daher, sicherlich von solchem Denken beeinflußt, die Auswahl sakraler Elemente, wie Kuppelbau und Vorhalle. Und daher auch die ebenso sichere Hand, die jedes einzelne Element einem Mittelpunkt zuordnet, so wie es vor ihm schon andere große Meister wie Leonardo, Bramante und Michelangelo beim Bau berühmter Gotteshäuser gezeigt hatten.

Trotz unvermeidlicher, von einem privaten Bauherrn gesetzter Grenzen, dessen Reichtum beschieden, dessen Klugheit und Kunstsinn dafür aber um so größer waren, gelangt Palladio hier, mit dem Bau dieser Villa, zu höchsten künstlerischen und poetischen Zielen.

Mit seinem um den Mittelsaal angeordneten kreisrunden Grundriss (daher der Name, der dem Bauwerk von Anfang an beigegeben wurde) und der darüberliegenden Kuppel stellt sich die Villa äußerlich als robuster Kubus vor, an dessen vier Fassaden je eine feierliche sechssäulige Vorhalle ionischer Ordung mit majestätischer Freitreppe eingefügt ist. Die vier vollkommen gleichen Vorhallen sind von eleganten Giebelfeldern mit Zahnschnittgesims und Statuen als Giebelschmuck gekrönt und schmiegen sich mit den seitlichen kraftvollen Bögen perfekt an den Kubus selbst. Das Ganze ist von größter Schlichtheit, was der Großartikeit des Bauwerks jedoch keinerlei Abbruch tut, sondern ihm vielmehr eine größere poetische Ausstrahlung verleiht.

Die Villa, so wie wir sie heute bewundern können, entspricht nicht dem Originalentwurf Palladios, der als Blickpunkt, um den sich das gesamte Bauwerk schart, eine halbkugelförmige Kuppel vorgesehen hatte. Leider wurde das Dach erst lange nach dem Ableben des großen Meisters fertiggestellt, und sein Nachfolger, der nicht minder große Vincenzo Scamozzi, hatte offensichtlich nicht den Mut und die Feinfühligkeit, den gewagten Originalentwurf in die Tat umzusetzen. Hier muß jedoch bemerkt werden, daß die jetzige Flachkuppel, auch wenn sie dem palladianischen Traum nicht entspricht, erheblich den schroffen Gegensatz mildert, den eine aus einem derartig leicht geneigten Dach mächtig emporsteigende Kuppel hätte hervorrufen können.

226

C'est certainement l'oeuvre de Palladio la plus célèbre dans le monde, celle qui a toujours été prise comme exemple de l'art de Palladio, le grand Maître. Projetée vers 1567 sur la demande du savant chanoine Paolo Almerico et terminée au début du XVIIᵉ siècle seulement, la Villa se trouve près de Vicence au sommet d'une petite colline, dans une position qui n'est pas élevée, mais très dominante. Dans ''La Rotonda'', Palladio développe, avec un succès complet, l'idée de la maison-temple propre au classicisme romain et si proche de la sensibilité de la Renaissance: maison-temple, conçue comme lieu idéal pour l'exercice des plus hautes disciplines du temps telles que la littérature, la philosophie, l'art et les sciences.

Pour répondre à ces finalités, voilà le choix précis d'éléments sacrés tels que la coupole et le pronaos et celui, tout aussi précis, de subordonner chaque elément au pivot central comme l'avaient déjà indiqué d'autres grands de l'époque (Léonard de Vinci, Bramante, MichelAnge) dans leurs réalisations célèbres d'édifices religieux.

Malgré les bornes imposées par les limitations financières d'un commettant privé, pas très riche, mais extrêmement sensible et cultivé, Palladio a atteint dans cette Villa l'expression la plus élevée de son art et de sa poésie.

Articulée autour du salon central dont le plan est circulaire (voilà pourquoi le nom qui lui fut tout de suite donné) surmontée par une coupole, la Villa présente à l'extérieur un robuste cube dont les faces portent, au centre, quatre solennels pronaos hexastyles ioniques précédés de majestueux escaliers. Les pronaos, parfaitement égaux, sont surmontés d'un élégant fronton dentelé; ornés de statues sur des acrotères, ils se rattachent aux faces du cube par des arcs solides. Le tout est d'une énorme simplicité, qui n'enlève rien à la majesté de la construction, mais lui donne, au contraire, une plus grande vigueur poétique.

La Villa ne présente pas la grande coupole hémisphérique que Palladio avait prévue dans son projet et qui aurait dû exercer sur toute la construction la fonction péremptoire de pivot. Malheureusement le Maître disparut avant d'avoir pu terminer la couverture du bâtiment et son successeur — l'insigne Vincenzo Scamozzi — n'eut point le courage de réaliser le projet original si hardi. Il faut néanmoins reconnaître que la coupole actuelle, tout en trahissant le rêve de Palladio, atténue sensiblement le contraste que la coupole prévue aurait créé, en émergeant aussi violemment d'un toit si peu incliné.

This, certainly the most well-known of all Palladio's works and famous all over the world, is always quoted as the symbol of the great architect's art. Designed about 1567 for the learned canon Paolo Almerico and completed only at the beginning of the seventeenth century, the Villa is situated not far from Vicenza on the top of a little hill, in a position that although not really elevated is commanding.

In the Rotonda Palladio pursues, with complete success, the idea of the Villa-Temple characteristic of Roman classicism, so close to the feeling of neo-Renaissance humanism: a Villa-Temple as the ideal centre for the exercise of the highest disciplines of the day such as literature, philosophy, art and science. This, then, explains the choice of such ecclesiastical elements as the dome and the pronaos and also the reason, equally peremptory, for subordinating every element to a central fulcrum according to the techniques used by other great architects of the day (Leonardo, Bramante, Michelangelo) in their famous ecclesiastical buildings.

Despite the inevitable limits imposed on the architect by a private client who was not over-rich, even if learned and sensitive, Palladio in this Villa reaches the heights of art and poetry.

Planned around a central circular salon (and hence the name Rotonda) and crowned by a dome, the villa from the outside appears like a robust cube with a solemn Ionic hexastyle pronaos jutting out from each of its four façades and preceded by an imposing flight of steps. The pronaoi, all exactly the same, are topped with elegant denticulate pediments and with statues on the acroteria, and are linked at the sides to the dado behind by means of solid arches.

The whole is characterized by an extreme simplicity that does not detract in any way from the monumentality of the building but rather gives it greater poetic vigour.

However, the dome in the centre of the villa is not the high hemispheric dome that Palladio had visualized in his project and that should have acted as the central dramatic feature of the whole building. Unfortunately, the roofing was completed after the death of Palladio and the architect chosen to direct the works — even if it was the famous Vincenzo Scamozzi — evidently hadn't the courage and sensibility to carry out the original daring idea. However, we must say that the dome as it is today, even if it destroys Palladio's dream, considerably softens the brusque effect the projected dome would have made by jutting out so domineeringly above a roof with such a gentle slope.

Villa Almerico, poi Capra, ora Valmarana, detta ''La Rotonda''

VILLA ALMERICO, poi CAPRA, ora VALMARANA, detta "LA ROTONDA"

Sala rotonda / Der runde Saal / Salle ronde / Circular salon

Come mostra chiaramente il progetto pubblicato ne "I Quattro Libri dell'Architettura" (Venezia, 1570), la pianta dell'edificio presenta agli angoli quattro appartamenti costituiti ognuno da una sala rettangolare e da una saletta quadrata. La separazione tra detti appartamenti è attuata da ampi corridoi colleganti direttamente il centro dei pronai esterni alla grande sala rotonda ch'esercita in tal modo, in maniera irresistibile, tutta la sua forza centripeta. Quasi a suffragare la sua funzione di cardine e guida di tutto l'insieme, funzione peraltro già ampiamente confermata dall'assetto architettonico, la sala centrale si presenta poi in una veste smagliante, ricca di modanature, di stucchi, di statue e di affreschi.

Wie eindeutig aus dem in "I Quattro Libri dell'Architettura" (Venedig, 1570) veröffentlichten Entwurf zu entnehmen ist, hat das Bauwerk im Grundriß an den Ecken vier Wohnungen, die jeweils aus einem großen rechteckigen und einem kleineren quadratischen Saal bestehen. Untereinander sind die Wohnungen durch geräumige Flure getrennt, die ihrerseits die Vorhallen mit dem großen runden Saal verbinden und diesem so unwiderstehlich eine Zentripetalkraft verleihen.
Als ob er seine Stellung als Kern- und Mittelpunkt des Ganzen noch unterstreichen wolle, eine Stellung, die u.a. schon zur Genüge durch die architektonische Ordnung bestätigt wird, gibt sich der Mittelsaal in einem blendenden Gewand aus reichen Gesimsgliedern, Stuckwerk, Statuen und Fresken.

Comme le montre très clairement le projet publié dans "Les Quatre Livres de l'Architecture", (Venise 1570), le plan de l'édifice présente aux angles quatre appartements constitués chacun d'une salle rectangulaire et d'une salle carrée. La séparation de ces appartements est réalisée par de grands couloirs qui mettent en communication directe le centre des pronaos extérieurs avec la grande salle ronde qui exerce ainsi toute sa force centripète.
Presque pour souligner sa fonction, déjà mise en évidence par tout le plan architectural, le salon central se présente sous un aspect éclatant, avec une grande profusion de modénatures, de stucs, de statues et de fresques.

As the drawings in the "Quattro Libri dell'Architettura" (Venice, 1570) clearly show, the building was planned with four wings radiating from the centre and with each wing containing a rectangular room and a square one. These wings are separated by a wide corridor that directly connects the centre of the external pronaos with the large circular salon that, thus, exercises all its centripetal force.
Almost as if to reinforce its function as fulcrum and dominant centre of the whole building, the central salon is dazzlingly decorated and rich with moulding, stucchi, statues and frescoes.

230

Villa Almerico, poi Capra, ora Valmarana, detta "La Rotonda"
Sala rotonda / Der runde Saal / Salle ronde / Circular salon

231

VILLA ALMERICO, poi CAPRA, ora VALMARANA, detta "LA ROTONDA"

Cupola / Kuppel / Coupole / Dome

Come si è fatto presente prima, tutto il complesso soffre della mancata realizzazione della cupola emisferica. Tale carenza si manifesta anche nel salone centrale, che accusa infatti scarsa verticalità, ma la cui cupola è comunque completa sia pure a spese di un tamburo estremamente abbassato.
Mentre gli affreschi delle pareti sottostanti furono eseguiti solo nel primo Settecento per mano di Ludovico Dorigny, quelli della volta, raffiguranti scene allegoriche, risalgono al tardo Cinquecento: ne fu autore Alessandro Maganza, che si avvalse, per le statue e per la splendida decorazione a stucco, della collaborazione di Vigilio Rubini.

Wie schon gesagt, leidet der gesamte Komplex unter der nicht realisierten halbkugelförmigen Kuppel. Dieses Manko macht sich auch im Mittelsaal bemerkbar, der in der Tat nur einen bescheidenen Vertikalismus aufweisen kann, dessen Kuppel jedoch komplett ist, wenn auch auf Kosten einer aufs äußerste heruntergezogenen Trommel.
Während die Fresken an den unteren Wänden erst zu Beginn des XVIII. Jhds. von Ludovico Dorigny gemalt wurden, gehen die Fresken der Kuppel mit ihren allegorischen Szenen auf das späte XVI. Jhd. zurück. Sie stammen von Alessandro Maganza, der sich bei den Statuen und dem Stuckwerk der Mitarbeit Vigilio Rubinis bediente.

Comme on l'a remarqué auparavant tout l'ensemble souffre de l'absence de la coupole hémisphérique. Cette carence se note aussi dans le salon central qui est peu élancé, bien que la coupole soit complète aux dépens du tambour très abaissé.
Les fresques des parois inférieures furent exécutées au début du XVIIIᵉ siècle par Ludovico Dorigny, tandis que celles de la voûte, représentant des scènes allégoriques, remontent à la fin du XVIᵉ: l'auteur en est Alessandro Maganza qui réalisa les statues et la splendide décoration de stucs en collaboration avec Vigilio Rubini.

As we have already mentioned, the whole building suffers because the hemispheric dome originally planned was never realized. This also affects the central salon where the verticality is reduced; however, the dome here is complete thanks to a considerably lowered tambour.
While the frescoes on the walls below were executed only at the beginning of the seventeenth century by Ludovico Dorigny, those on the ceiling depicting allegorical scenes date back to the late sixteenth century and are the work of Alessandro Maganza who called in Vigilio Rubini to collaborate with the splendid stucchi and statues.

Villa Almerico, poi Capra, ora Valmarana, detta "La Rotonda"
Cupola / Kuppel / Coupole / Dome

233

VILLA ALMERICO, poi CAPRA, ora VALMARANA, detta "LA ROTONDA"

Soffitto / Deckengemälde / Plafond / Ceiling

Così come il salone centrale ed i quattro corridori che da quello si dipartono, anche le sale angolari sono decorate da stucchi ed affreschi della fine del sec. XVI o dell'inizio del successivo.
La fotografia mostra il ricco soffitto della sala a sud est con raffinati stucchi incornicianti un grande affresco.

Wie der Mittelsaal und die vier von ihm ausgehenden Flure wurden auch die Ecksäle Ende des XVI. bzw. zu Beginn des darauffolgenden Jahrhunderts reich mit Stuckwerk und Fresken ausgeschmückt.
Auf der Abbildung die reich verzierte Decke des süd-östlichen Saals mit einem großen von feinem Stuckwerk eingerahmten Fresko.

Comme le salon central et les quatre couloirs qui en partent, les salles d'angle sont décorées de stucs et de fresques de la fin du XVIe ou du début du XVIIe.
La photo montre le riche plafond de la salle Sud-Est orné de stucs raffinés qui encadrent une grande fresque.

The stucchi and frescoes in the corner rooms, as in the central salon and in the four corridors that lead off it, date back to the end of the sixteenth century or the beginning of the seventeenth.
The photograph shows the richly decorated ceiling in the south-east room with its huge fresco enclosed in an elegant stucco frame.

Villa Almerico, poi Capra, ora Valmarana, detta "La Rotonda"
Soffitto / Deckengemälde / Plafond / Ceiling

VILLA ALMERICO, poi CAPRA, ora VALMARANA, detta "LA ROTONDA"

Pianta / Grundriss / Plan / Plant

La stupefacente, geniale semplicità d'impianto e la decisa scelta di un perno centrale sono facilmente rilevabili nella celebre pianta che il Palladio pubblicò a pag. 19 del Secondo de "I Quattro Libri dell'Architettura" (Venezia, 1570): attraverso i corridoi, i quattro pronai sembrano spinti e contemporaneamente trattenuti dalla sala rotonda, della quale stimolano e mediano il dialogo con l'esterno.

Die erstaunlich geniale Einfachheit der Anlage und die sichere Wahl eines zentralen Kerns waren schon im berühmten von Palladio auf Seite 19 des zweiten Buches der "I quattro libri" (Venedig 1570) veröffentlichten Grundriss feststellbar.
Die vier Vorhallen scheinen durch die Gänge vom runden Saal getrieben und gleichzeitig festgehalten zu werden, während sie das Gespräch desselben mit der Aussenwelt anregen und vermitteln.

Le plan stupéfiant, d'une simplicité géniale de cette villa et le choix d'un pivot central très net sont facilement mis en évidence par le célèbre dessin que Palladio publia à la page 19 du deuxième des "Quatre livres de l'Architecture" (Venise, 1570): à travers les couloirs, les quatre pronaos semblent projetés et dans le même temps retenus par la salle ronde dont ils stimulent et favorisent le dialogue avec l'extérieur.

The amazing genial simplicity of the structure and the clear choice of a central pivot are easily noticed in the famous plan that Palladio published on page 19 of the second of the "Quattro Libri dell'Architettura" (The Four Books of Architecture) - Venezia, 1570. Looking through the corridors, the four pronaoi seem to be projected and at the same time held back by the round salon, stimulating and favouring the rapport between it and the surroundings.

236

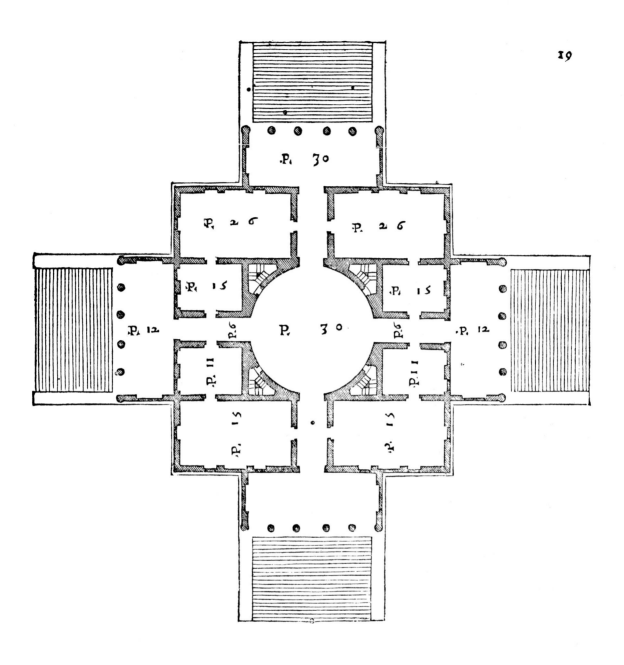

.P. 30

P. 26   P. 26

P. 15   P. 15

P. 12   P. 6   P. 30   P. 6   .P. 12

P. 11   P. 11

P. 15   P. 15

P.

Villa Almerico, poi Capra, ora Valmarana, detta "La Rotonda"
Pianta / Grundriss / Plan / Plant

FRA MOLTI honorati Gentil'huomini Vicentini fi ritroua Monfignor Paolo Almerico huomo di Chiefa, e che fu referendario di due Sommi Pontefici Pio IIII, & V, & che per il fuo ualore meritò di effer fatto Cittadino Romano con tutta cafa fua. Quefto Gentil'huomo dopo l'hauer vagato molt'anni per defiderio di honore; finalmente morti tutti i fuoi; uenne à repatriare, e per fuo diporto fi riduffe ad un fuo fuburbano in monte, lungi dalla Città meno di un quarto di miglio: oue ha fabricato fecondo l'inuentione, che fegue: la quale non mi è parfo mettere tra le fabriche di Villa per la uicinanza ch'ella ha con la Città, onde fi può dire che fia nella Città ifteffa. Il fito è de gli ameni, e diletteuoli che fi poffano ritrouare: perche è fopra un monticello di afcefa facilifsima, & è da vna parte bagnato dal Bacchiglione fiume nauigabile, e dall'altra è circondato da altri amenifsimi colli, che rendono l'afpetto di un molto grande Theatro, e fono tutti coltiuati, & abondanti di frutti eccellentifsimi, & di buonifsime viti: Onde perche gode da ogni parte di bellifsime uifte, delle quali alcune fono terminate, alcune più lontane, & altre, che terminano con l'Orizonte; ui fono ftate fatte le loggie in tutte quattro le faccie: fotto il piano delle quali, e della Sala fono le ftanze per la commodità, & ufo della famiglia. La Sala è nel mezo, & è ritonda, e piglia il lume di fopra. I camerini fono amezati. Sopra le ftanze grandi, lequali hanno i uolti alti fecondo il primo modo, intorno la Sala ui è un luogo da paffeggiare di larghezza di quindici piedi, e mezo. Nell'eftremità de i piedeftili, che fanno poggio alle fcale delle loggie; ui fono ftatue di mano di Meffer Lorenzo Vicentino Scultore molto eccellente.

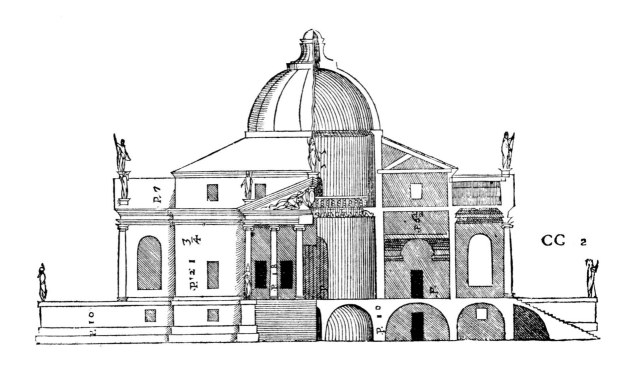

A. Palladio — Descrizione, alzato e sezione de "la Rotonda" *(da "I Quattro Libri")*.

238

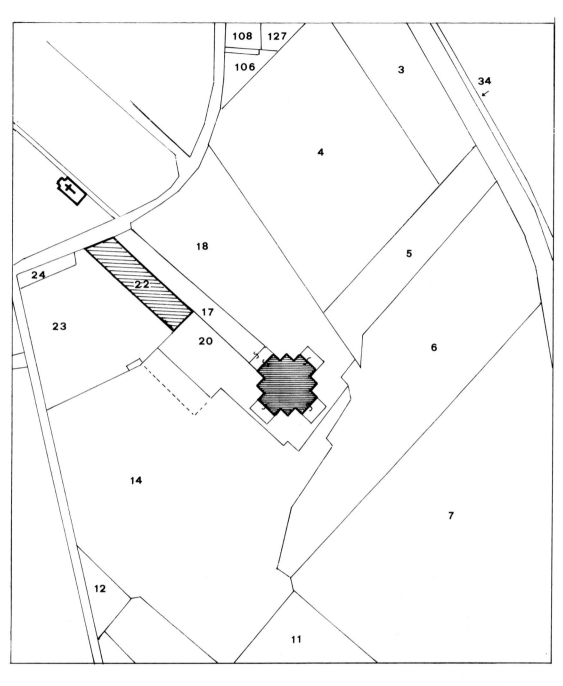

VILLA TRISSINO
Meledo di Sarego (Vicenza)

Trattasi forse dell'idea più generosa — e per ciò stesso meno realizzabile — concepita dal Palladio; l'immenso complesso acropolico, ispirato dal tempio della Fortuna Primigenia di Palestrina e dal tempio di Ercole Vincitore di Tivoli, non venne infatti mai costruito, anche se alcuni frammenti (peraltro non conformi al progetto) fanno quanto meno pensare ad un probabile inizio dei lavori.

Wahrscheinlich die großzügigste — und darum am wenigsten realisierbare — Schöpfung Palladios. Der riesige akropolisartige von dem Fortunatempel in Palestrina und dem Heraklestempel in Tivoli inspirierte Komplex wurde in der Tat nie verwirklicht, auch wenn einige fragmentarische Teile (u.a. nicht dem Bauplan entsprechend) auf einen eventuellen Beginn der Bauarbeiten hindeuten.

Il s'agit peut-être du projet plus grandiose — et par cela même moins réalisable — conçu par Palladio; l'enorme ensemble monumental, inspiré du temple de la Fortune de Palestrina et du temple d'Hercule Vainqueur de Tivoli, ne fut en effet jamais construit même si quelques fragments (d'ailleurs non conformes au projet) font penser à un probable commencement des travaux.

Perhaps the most munificient idea — and for this reason the least realizable — conceived by Palladio; this immense citadel-type building, inspired by the temple of Fortuna Primigenia at Palestrina and by the temple of Hercules Victor at Tivoli, was never built, even though some fragments (on the other hand, untrue to the plan) lead to belive that the construction was probably begun at some stage.

LA SEGVENTE fabrica è ftata cominciata dal Conte Francefco, e Conte Lodouico fratelli de' Trifsini à Meledo Villa del Vicentino. Il fito è bellifsimo: percioche è fopra vn colle, il quale
è bagnato da vn piaceuole fiumicello, & è nel mezo di vna molto fpaciofa pianura, & à canto ha vna
affai frequente ftrada. Nella fommità del colle ha da efferui la Sala ritonda, circondata dalle ftanze,
e però tanto alta che pigli il lume fopra di quelle. Sono nella Sala alcune meze colonne, che tolgono fufo vn poggiuolo, nel quale fi entra per le ftanze di fopra; lequali perche fono alte folo fette piedi; feruono per mezati. Sotto il piano delle prime ftanze ui fono le cucine, i tinelli, & altri luoghi.
E perche ciafcuna faccia ha bellifsime uifte; ui uanno quattro loggie di ordine Corinthio: fopra i
frontefpicij delle quali forge la cupola della Sala. Le loggie, che tendono alla circonferenza fanno
vn gratifsimo afpetto: più preffo al piano fono i fenili, le cantine, le ftalle, i granari, i luoghi da Gaftaldo, & altre ftanze per vfo di Villa: le colonne di quefti portici fono di ordine Tofcano: fopra il fiume
ne gli angoli del cortile ui fono due colombare.

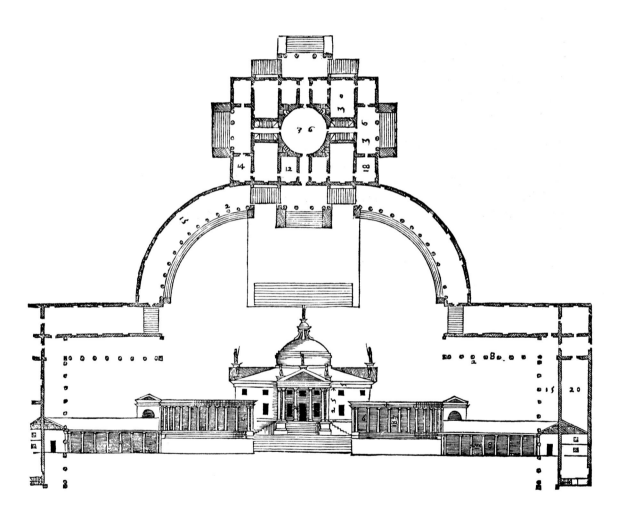

A. Palladio — Descrizione, pianta e alzato di Villa Trissino a Meledo di Sarego *(da "I Quattro Libri")*.

VILLA SEREGO
S. Sofia di Pedemonte (Verona)

Progettata presumibilmente nel 1569, questa Villa è presentata ne "I Quattro Libri dell'Architettura" (Venezia, 1570) con un grafico assai articolato e complesso dal quale si evince, ancora una volta, che quanto realizzato è ben poca cosa rispetto a quanto concepito: solo la metà, per di più incompleta, del grande cortile centrale.
Il Palladio chiude forse, con quest'opera, il lungo e fecondo ciclo delle "case di campagna"; subentrato nel 1570 al Sansovino quale consulente architetto della Serenissima, egli dedicherà infatti l'ultimo decennio della sua vita quasi completamente ad edifici urbani civili o religiosi.

1569 geplant, wird uns diese Villa in "I Quattro Libri dell'Architettura" (Venedig, 1570) mit einem wesentlich komplexeren und ausführlichern Entwurf vorgestellt, was wiedere einmal beweist, daß das, was schließlich gebaut wurde, gegenüber dem ursprünglichen Plan nur ein Minimum ist. Hier, nur die Hälfte, und die unvollständig, des großen Innenhofs.
Palladio schliesst wahrscheinlich mit diesem Bauwerk den langen und erfolgreichen Zyklus der "Landhäuser" ab; 1570 übernimmt er die Stelle des Sansovino als beratender Architekt der Serenissima und widmet die letzten zehn Jahre seines Lebens fast ausschliesslich städtischen oder religiösen Gebäuden.

Projetée probablement en 1569, cette Villa est présentée dans "Les Quatre Livres de l'Architecture" (Venise 1570), par un plan très articulé et complexe d'où l'on déduit, encore une fois, que ce qui a été réalisé est très peu de chose par rapport à ce qui avait été conçu: même pas la moitié de la grande cour centrale.
Palladio conclut peut-être avec cette oeuvre, le long cycle des "maisons de campagne"; succédant en 1570 à Sansovino en tant qu'architecte officiel de la République de Venise, il consacrera les dix dernières années de sa vie presque exclusivement à la construction d'édifices urbains, civils ou religieux.

This Villa was probably designed in 1569. In the "Quattro Libri dell'Architettura" (Venice, 1570) there is a highly detailed drawing of this Villa which proves once again that what was completed was very little compared to what had been conceived by Palladio: in this case only half of the huge central courtyard — and even that is only half finished.
With this work Palladio probably brought to an end the long fruitful series of country houses he had planned. In 1570 he succeeded Sansovino as consultant architect for the Serenissima and from then on, for the last ten years of his life, he dedicated his energies to the designing of civil or ecclesiastical urban buildings.

Villa Serego

VILLA SEREGO

Riprendendo uno spunto appena accennato nel precedente palazzo Antonini di Udine, il Palladio sviluppa in quest'opera il motivo di una colonna ionica di ordine gigante del tutto nuova anche se chiaramente ancorata, quanto ad ispirazione, a modelli romani antichi ed alle più recenti opere di Giulio Romano e del Sanmicheli; una colonna il cui fusto è ottenuto con la sovrapposizione di grosse bozze trattate a bugnato rustico. Tale sorprendente soluzione conferisce all'insieme un tono altamente drammatico, che tuttavia non impedisce di cogliere una certa eleganza.

Hier nimmt Palladio eine im zuvor entworfenen Palast Antonini in Udine eben angedeutete Idee wieder auf und entwickelt das Motiv der ionischen Säule gigantischer Ordnung auf völlig neue Weise, wenn auch eindeutig in Anlehnung an Vorbilder aus der römischen Antike und die jüngeren Bauwerke eines Giulio Romano und eines Sanmicheli: eine Säule, deren Schaft sich aus aufeinandergesetzten großen Rustikaquadern aufbaut. Diese erstaunliche Lösung gibt dem Ganzen einen hochdramatischen Ton, der jedoch dem eleganten Gesamteindruck keinen Schaden tut.

Reprenant une idée à peine esquissée dans le palais Antonini de Udine, Palladio développe dans cette oeuvre le motif complètement inédit, même si on peut le rattacher à l'ancien modèle romain ou aux oeuvres plus récentes de Giulio Romano et de Sammicheli, d'une colonne ionique d'ordre géant dont le fût est composé de gros bossages rustiques. Cette surprenante solution donne à l'ensemble un ton très dramatique, qui toutefois ne nuit pas à une certaine élégance.

Adopting once again an idea he had used in the building of Palazzo Antonini in Udine, Palladio in this Villa uses the motif of a giant Ionic colonnade in an entirely new way even if clearly anchored, as far as inspiration is concerned, to ancient Roman models and to the more recent works of Giulio Romano and Sanmicheli: a column, the shaft of which was constructed by superimposing huge rusticated ashlars. This surprising technique gives the whole building a highly dramatic tone that does not, however, detract from its elegance.

Villà Serego

245

VILLA SEREGO

La suaccennata drammaticità del colonnato rustico è facilmente avvertibile in questo scorcio del portico al pianterreno dove i fusti bugnati creano stupefacenti effetti luminosi.
Come mostra la fotografia, il fusto delle colonne genera all'interno del portico un piccolo pilastro con capitello in corrispondenza degli architravi della loggia superiore.

Der zuvor erwähnte dramatische Charakter, den die Rustikakollonade ausstrahlt, zeigt sich besonders in diesem Ausschnitt des Laubengangs im Untergeschoß, wo die Rustikaschafte eine verblüffende Lichtwirkung zaubern.
Gut ersichtlich auf der Abbildung die kleinen Pilaster mit Kapitell auf dem inneren Säulenschaft, auf den sich die Architraven der oberen Loggia stützen.

La dramaticité de la colonnade rustique est très nette dans cette vue du portique du rez-de-chaussée où les fûts en bossage créent de stupéfiants effets de lumière.
Le fût des colonnes engendre, à l'intérieur du portique, un petit pilier dont le chapiteau est en correspondance des architraves de la loge supérieure.

The above-mentioned dramatic effect of the rustic colonnade can be seen in this view of the ground floor arcade where the rusticated columns create amazing effects of light and shade.
The photograph also shows that inside the arcade a small pilaster with capital is engaged to each column shaft in correspondence with the architraves of the upper loggia.

Villa Serego

247

A SANTA Sofia luogo vicino à Verona cinque miglia è la feguente fabrica del Signor Conte Marc'Antonio Sarego pofta in vn bellifsimo fito, cioè fopra vn colle di afcefa facilifsima, che difcuopre parte della Città, & è tra due Vallette : tutti i colli intorno fono amenifsimi, e copiofi di buonifsime acque ; onde quefta fabrica è ornata di giardini, & di fontane marauigliofe . Fù quefto luogo per la fua amenità le delicie de i Signori dalla Scala, e per alcuni ueftigij, che ui fi ueggono, fi comprende che ancho al tempo de' Romani fu tenuto da quegli antichi in non picciola ftima . La parte di quefta fabrica, che ferue all'vfo del padrone, & della famiglia, ha vn cortile : intorno al quale fono i portici ; le colonne fono di ordine Ionico, fatte di pietre non polite, come pare che ricerchi la Villa, alla quale fi conuengono le cofe più tofto fchiette, e femplici, che delicate : uanno quefte colonne à tuor fufo la eftrema cornice, che fà gorna, oue piouono l'acque del coperto, & hanno nella parte di dietro, cioè fotto i portici alcuni pilaftri, che tolgono fufo il pauimento delle loggie di fopra ; cioè del fecondo folaro . In quefto fecondo folaro ui fono due fale, una rincontro all'altra : la grandezza delle quali è moftrata nel difegno della pianta con le linee, che fi interfecano, e fono tirate da gli eftremi muri della fabrica alle colonne . A canto quefto cortile ui è quello per le cofe di Villa, dall'vna, e l'altra parte del quale ui fono i coperti per quelle commodità, che nelle Ville fi ricercano .

A. Palladio — Descrizione, pianta e alzato di Villa Serego a S. Sofia di Pedemonte di S. Pietro Incariano *(da "I Quattro Libri")*

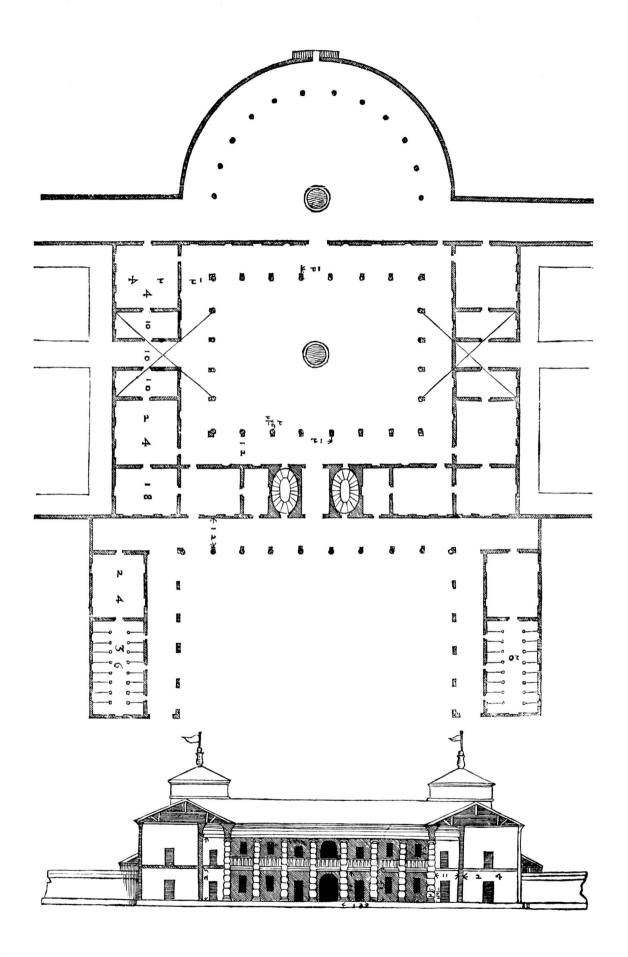

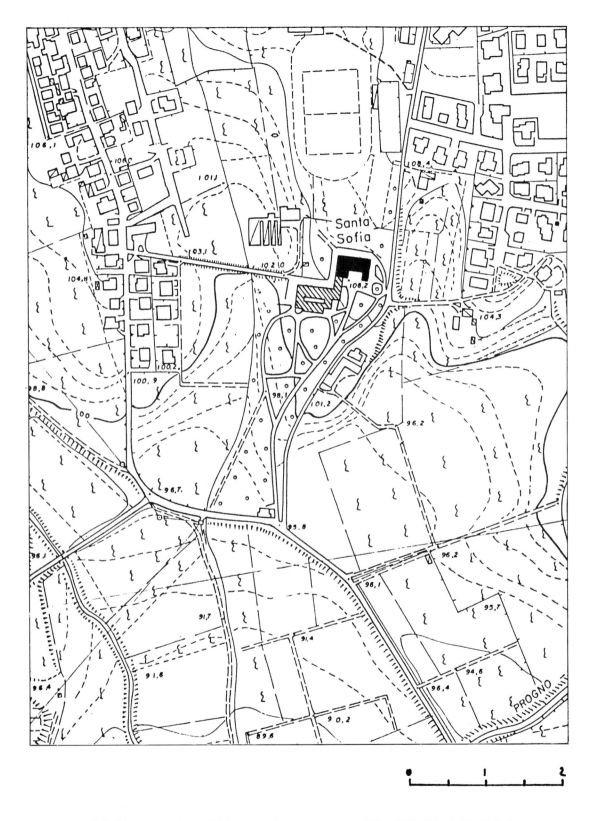

Comune di S. Pietro Incariano - Rilievo aerofotogrammetrico all'1 : 5000 di S. Sofia di Pedemonte.

Bibliografia / Bibliographie / Bibliography

Ackerman J.S.: *Palladio* (trad. ital. ediz. 1966), Torino, 1972

Balzaretti L.: *Ville Venete*, Milano, 1965

Barbieri F., Cevese R., Magagnato L.: *Guida di Vicenza*, Vicenza, 1956

Bertotti Scamozzi O.: *Le fabbriche e i disegni di A. Palladio*, Vicenza, 1776-1783

Bordignon Favero G.: *La Villa Emo di Fanzolo* in "Corpus Palladianum", Vicenza, 1970

Canova A.: *Ville del Polesine*, Rovigo, 1975

Canova A.: *L'Opera di Andrea Palladio*, Treviso, 1981

Canova A.: *Ville Venete*, Treviso, 1984

Cevese R.: *Ville della Provincia di Vicenza*, Milano, 1980

Cevese R.: *Invito a Palladio*, Milano, 1980

Crosato L.: *Affreschi nelle Ville Venete del Cinquecento*, Treviso, 1963

Dalla Pozza A.M.: *Palladio*, Vicenza, 1943

Ivanoff N.: *Palladio*, Milano, 1967

Magrini A.: *Memorie intorno alla vita e le opere di Andrea Palladio*, Padova, 1845

Mazzotti G. (Catalogo a cura di): *Le Ville Venete*, Treviso, 1954

Mazzotti G.: *Ville Venete*, Roma, 1966

Palladio A.: *I Quattro Libri dell'Architettura*, Venezia, 1570

Pane R.: *Andrea Palladio*, Torino, 1961

Puppi L.: *La Villa Badoer di Fratta Polesine* in "Corpus Palladianum", Vicenza, 1972

Puppi L.: *Andrea Palladio*, Milano, 1973

Rigon F.: *Palladio*, Bologna, 1980

Scamozzi V.: *L'idea dell'Architettura Universale*, Venezia, 1615

Semenzato C.: *La Rotonda di Andrea Palladio* in "Corpus Palladianum", Vicenza, 1968

Temanza T.: *Vita di Andrea Palladio Vicentino*, Venezia, 1762

Tiozzo C.B.: *Le Ville del Brenta*, Venezia, 1977

Tiozzo C.B.: *Il Palladio e le Ville fluviali*, Venezia, 1981

Zevi B.: *Andrea Palladio* in "Enciclopedia Universale dell'Arte", Venezia-Roma, 1963

Zorzi G.G.: *I disegni delle Antichità di Andrea Palladio*, Vicenza, 1959

Zorzi G.G.: *Le ville e i teatri di Andrea Palladio*, Vicenza, 1968

ARDE

Le Ville del Palladio